W9-AWX-691

NARUTO
火影忍者
卷之
三十一
被託付的想法!!
岸本斉史

主要登場人物
春野櫻
漩渦鳴人
千代
我愛羅
旗木卡卡西
宇智波鼬

前情提要

原為木葉忍者村忍者學校中的問題學生—鳴人，終於與佐助、小櫻一起成為忍者了。鳴人等人前去參加中忍選拔考試時，遭到大蛇丸的襲擊。大蛇丸在佐助身上留下咒印之後就消失了。而在進行「第三場考試」時，大蛇丸等人開始進行「毀滅木葉行動」，但是最後卻以火影失去自己的性命收場。在與大蛇丸的激戰後，綱手成為了第五代火影。被大蛇丸的「力量」吸引的佐助，與音之忍者一起離開木葉忍者村。鳴人雖然與佐助展開激戰，但最後還是無法阻止佐助。

過了兩年多之後，鳴人等人都因為進行了修行而有所成長，但就在這時候，成為風影的我愛羅卻落入「曉」的手中！前去解救我愛羅的鳴人等人，終於抵達「曉」的根據地！但是鳴人卻被地達羅誘出根據地。留在洞穴裡的小櫻與千代奶奶，則是與蠍展開激戰！

NARUTO

—火影忍者—

卷之三十一

被託付的想法!!

目　次

272：千代奶奶VS蠍…！

カシュッ
!!
千代奶奶……!

キュルルルルル
喀喀
!
ワイ
哼…
キュルルルルル

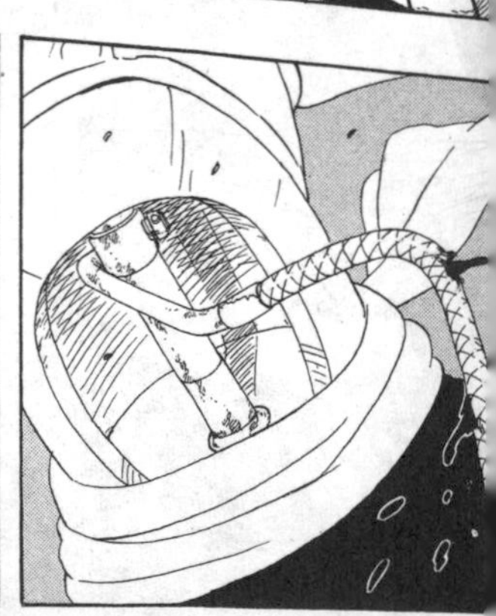

呿……

是小櫻！

ツィィィ

開什麼玩笑！

！

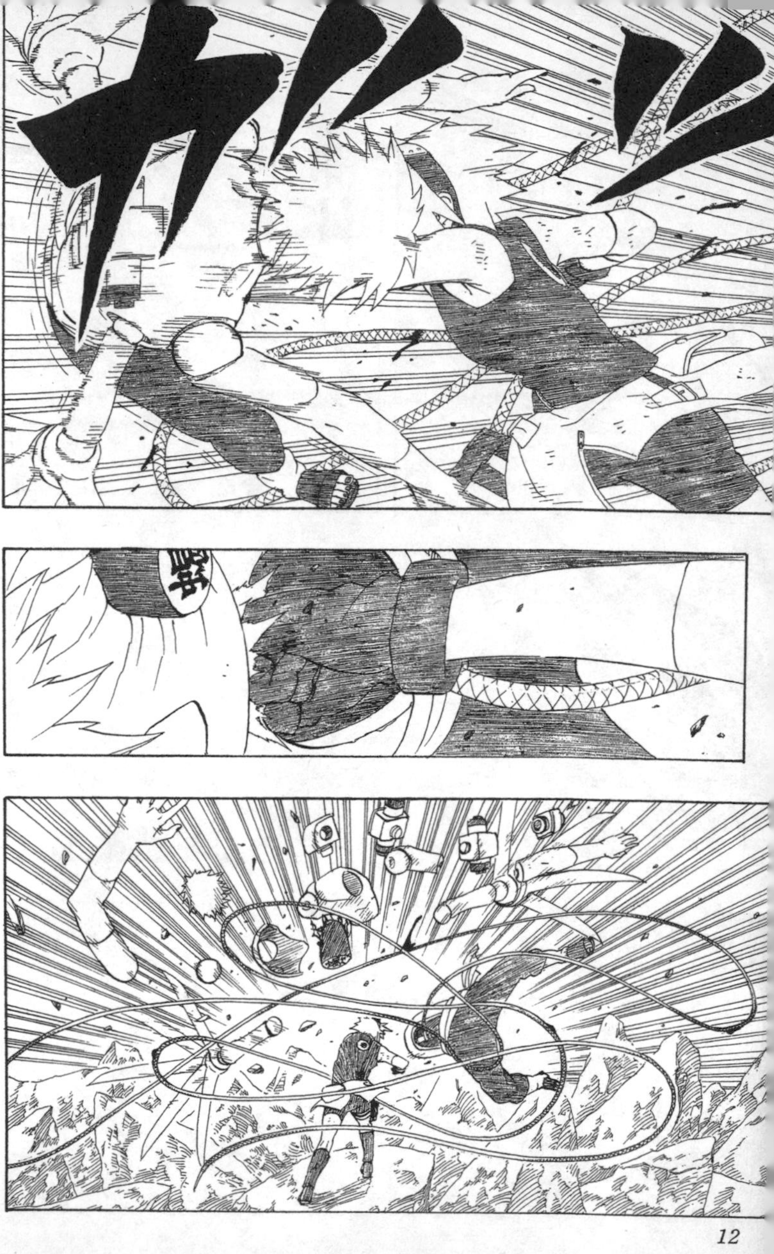

ガツ

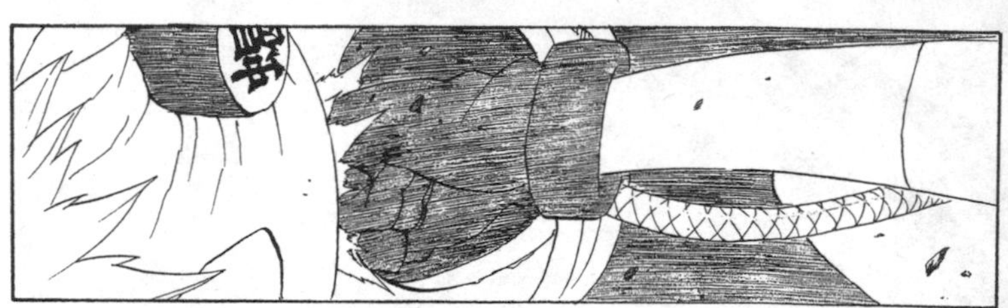

呼
呼
カラララン…

剛好在……解毒藥的有效時間內打倒他了……
呼
呼

哈哈……
千代奶奶，我們打倒他了呢……！

小櫻……妳…

……

カチャ カチャ…

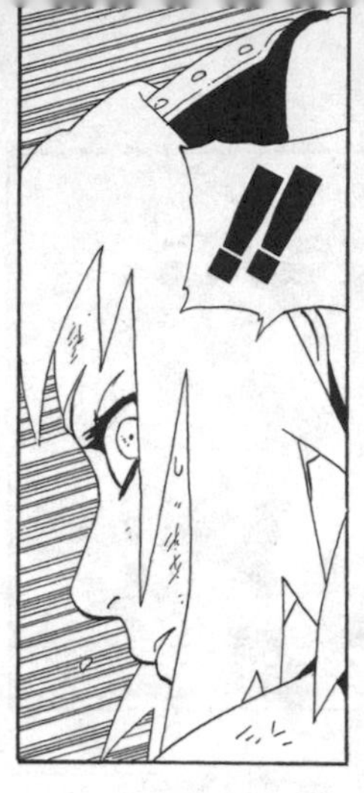

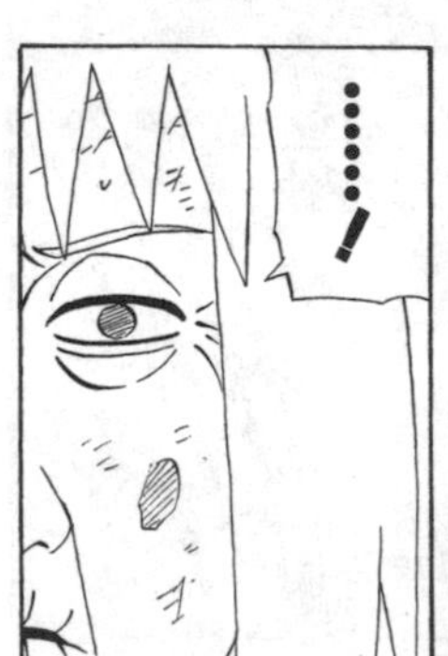

拉

咻

ガチッ

!

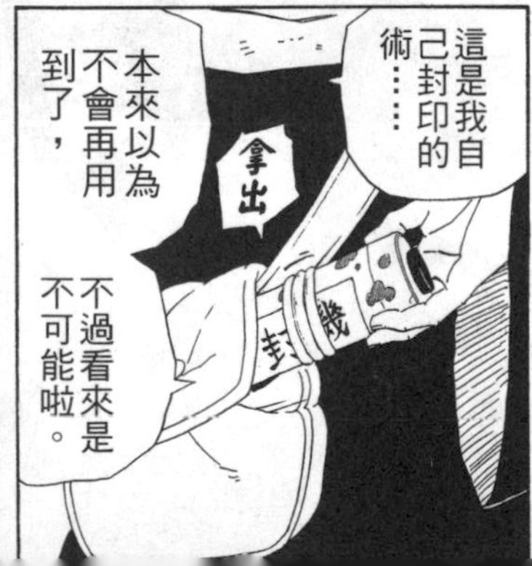
這是我自己封印的術……
本來以為不會再用到了，
拿出
不過看來是不可能啦。
封

バッ

就用它來結束這場戰鬥吧……

スウー
フワッ
……

老太婆，妳還真是了不起啊。
據說只要看操縱傀儡的數量，
就能知道傀儡師的能力。

好……好多啊……

之前我就有聽說……
這就是千代奶奶的終極之術……「十指傀儡」……
這就是讓妳獨自攻下一座城的術……

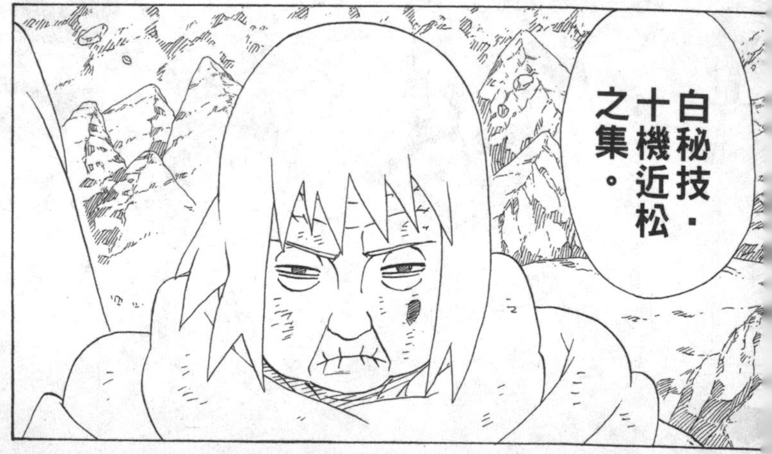
自秘技·十機近松之集。

那就是傀儡術第一代的操演者……
文左衛門的十傑作。
啪
バサ
真是驚人的傀儡集啊……
不過呢……
喀
蠍
ガバッ
蠍
ブン
ズオオオ

我靠這個術攻下了一個國家。

!!?

……
這小子…居然已經…

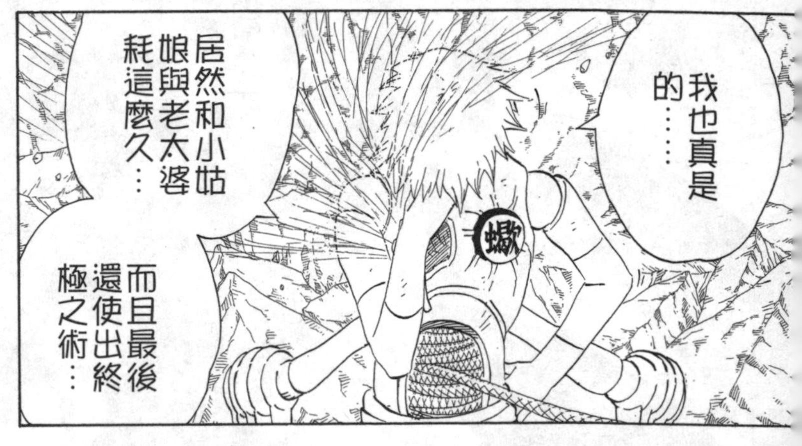
我也真是的……
居然和小姑娘與老太婆耗這麼久…
而且最後還使出終極之術…
蠍

赤秘技・百機操演……
就讓你們好好見識一下吧。

ダッ
！

……

小櫻……
！

妳身上的解
毒藥已經失
效了……別
插手。

……

!?

您應該已
經知道……
我的個
性吧？
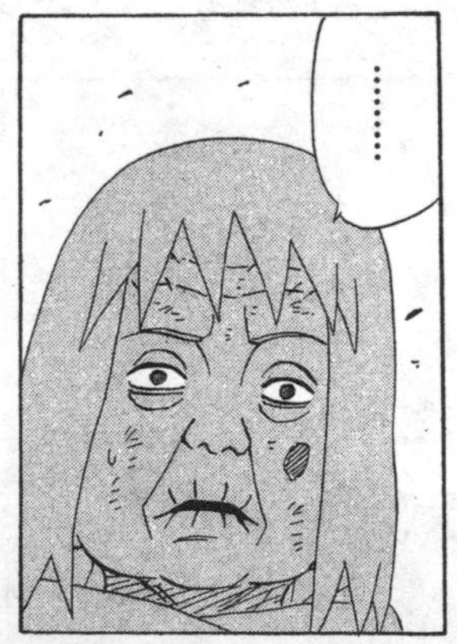
……

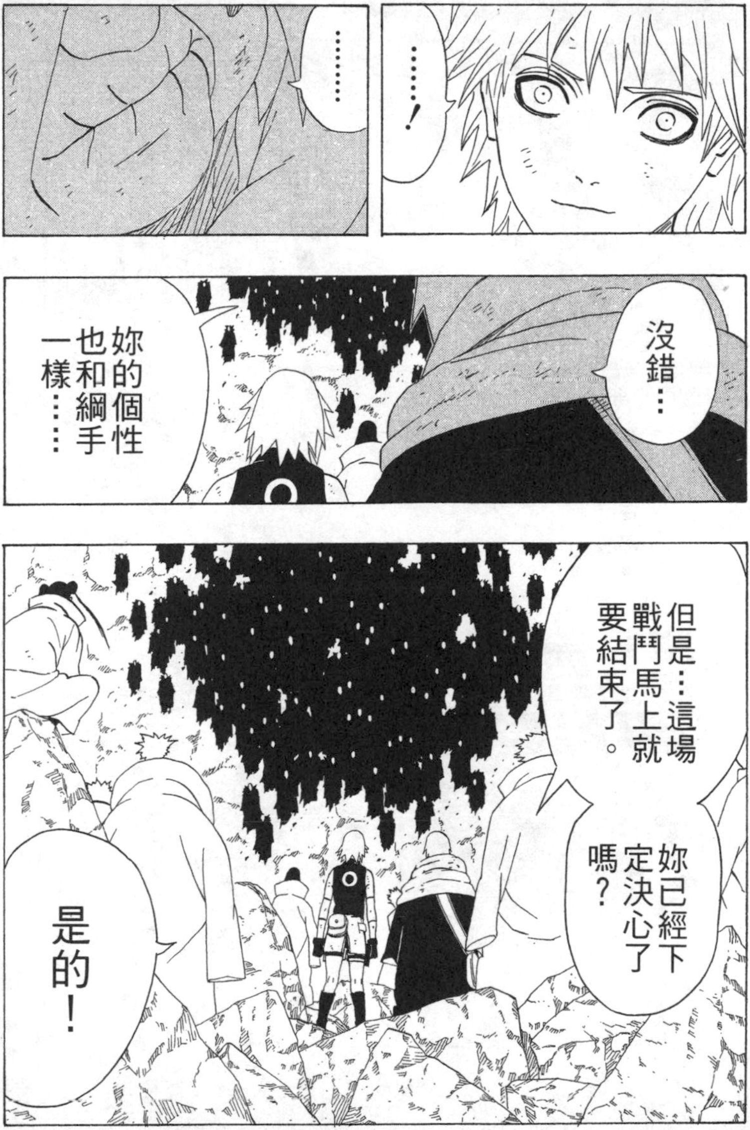

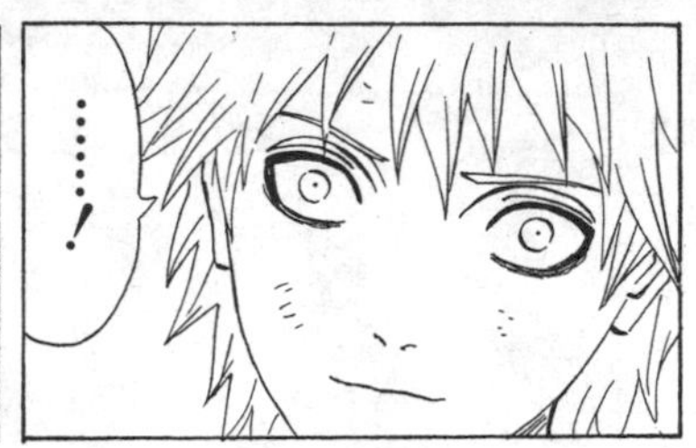
……！

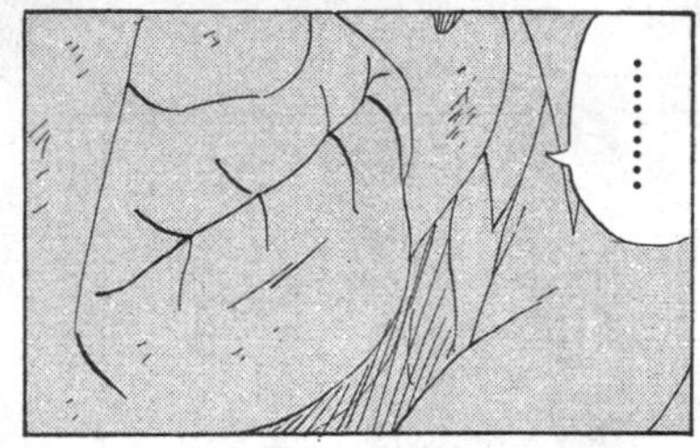
……

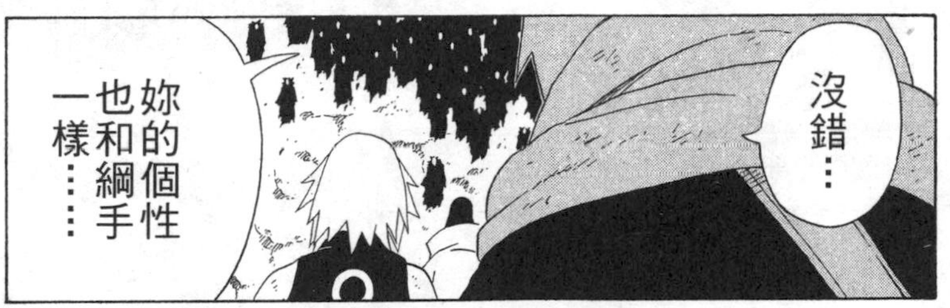
沒錯……
妳的個性也和綱手一樣……

但是……這場戰鬥馬上就要結束了。

妳已經下定決心了嗎？

是的！

NARUTO 火影忍者 原創角色優秀作品公佈 PART①

（東京都　銀Ⓢ讀者）

○我很喜歡這個設計。

（熊本縣　平野薰讀者）

○好可怕啊！因為名字是用毛筆寫的，所以更可怕！戴著面具的樣子看起來更加可怕！

（千葉縣　長島里美讀者）

○他是卡卡西的死對頭，卡卡西的死對頭是阿凱。所以阿凱的死對頭也是他囉？

（愛媛縣　シロフォン讀者）

○這個角色真可愛啊。術也仔細想過，角色的個性也不錯。

273：最後的戰鬥！

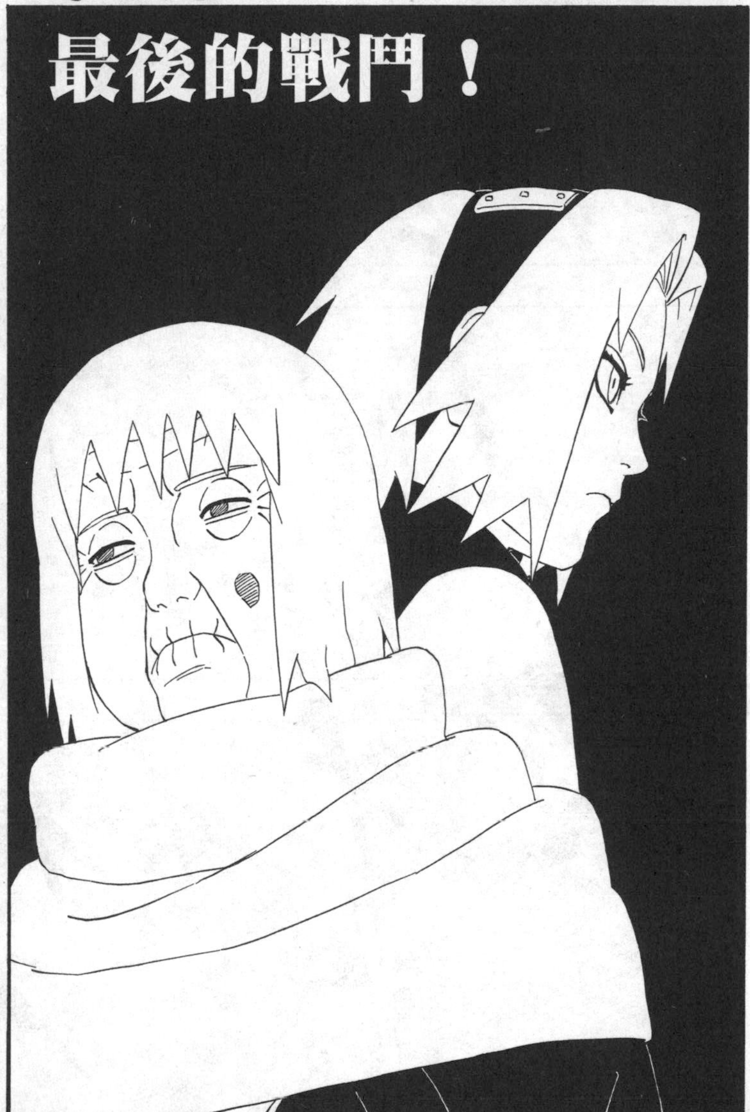

他要進攻了！
ズオオオオ

ガチャ
咻咻咻咻

ドッ

噠
噠
喀嚓
仏
喀嚓
法
喀嚓
僧
三寶吸潰!!

ムギュ
！
數量太多了！

呼！
呼！
ガラ
ガラ
ドッ
拉
サッ

解毒藥只剩一個……只要我或小櫻受傷，狀況就會變得對我們不利。
嗚！
……
糟糕……！
拉
千代奶奶！

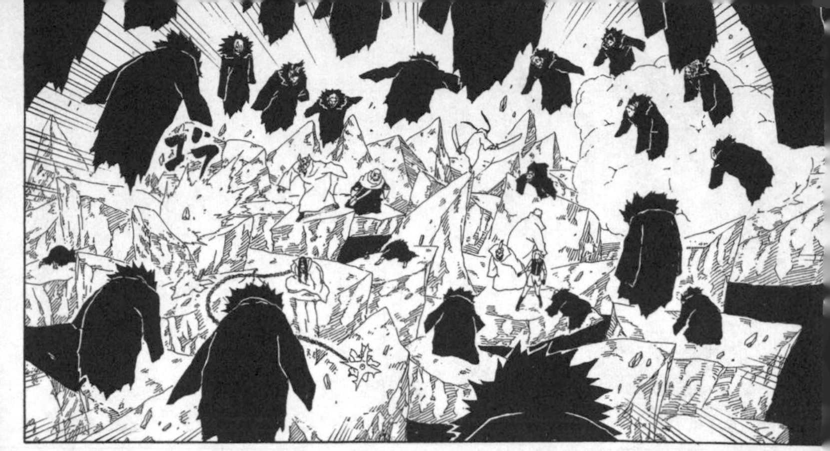

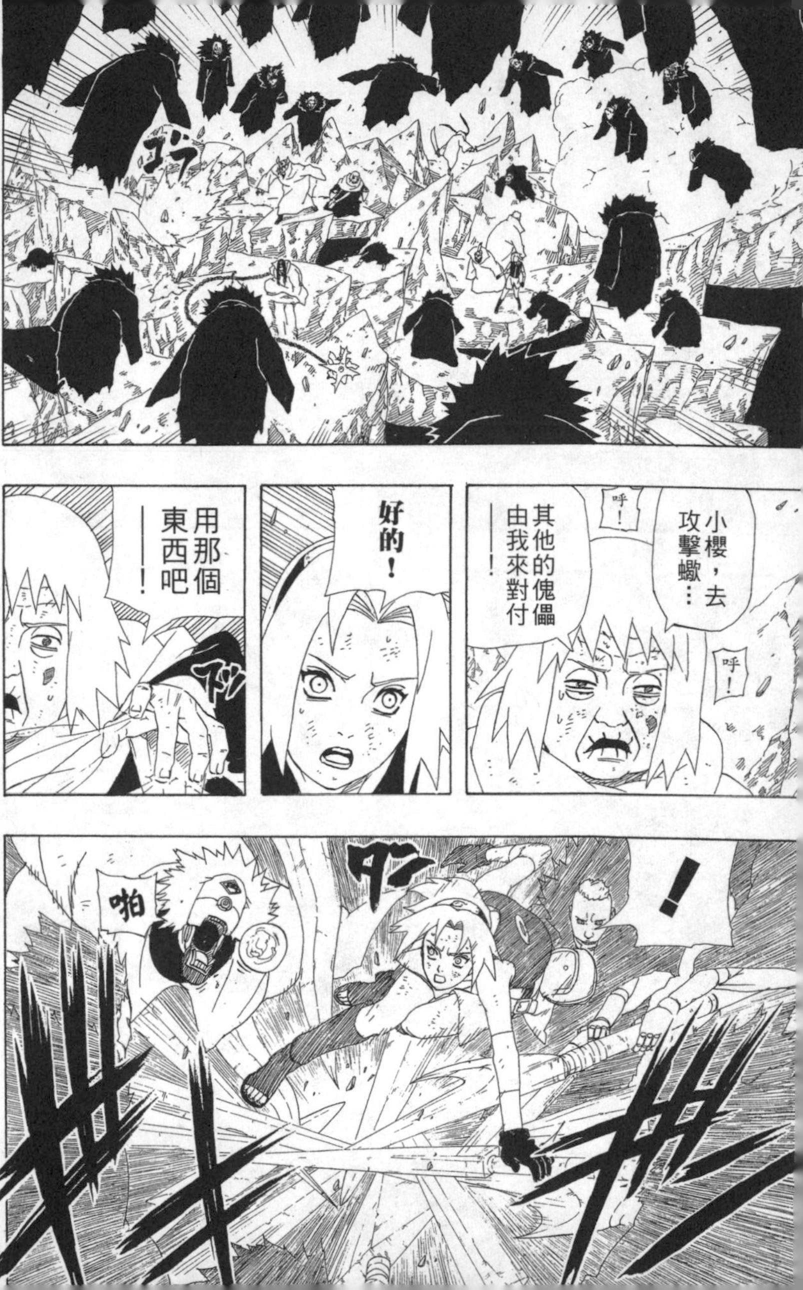

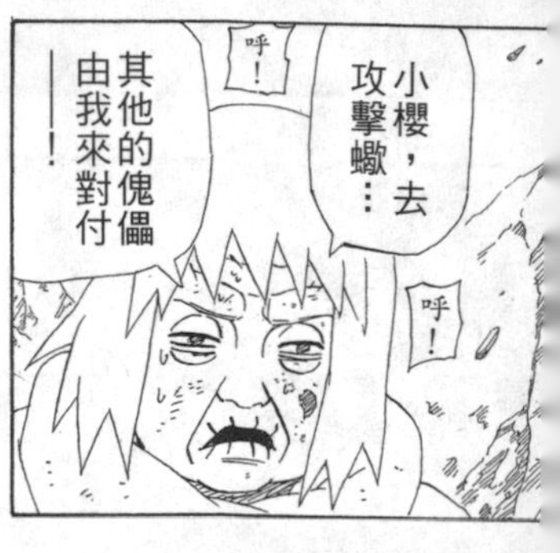

小櫻，去攻擊蠍……
呼！
呼！
其他的傀儡由我來對付——！

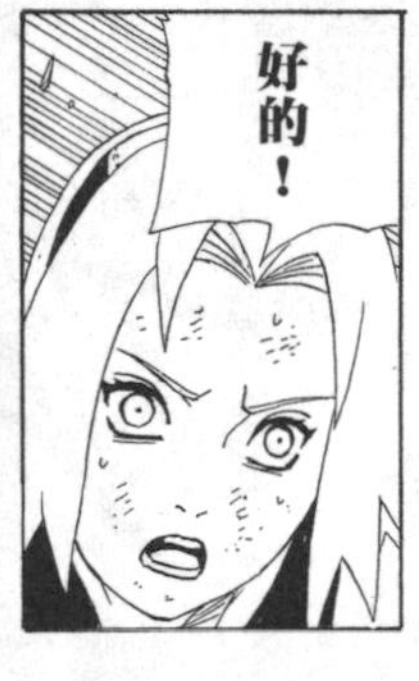

好的！

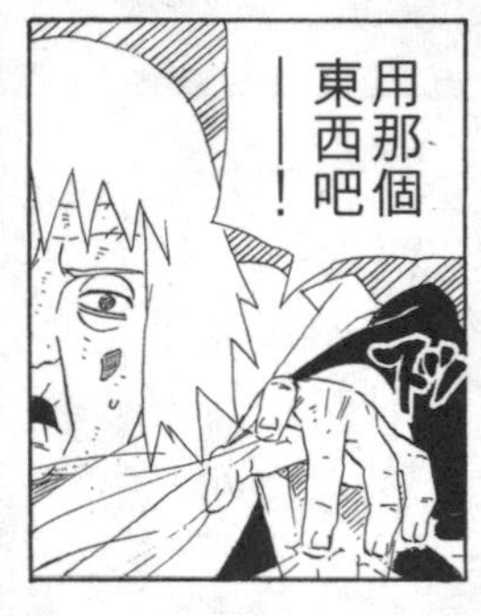

用那個東西吧——！
ドン

啪
！

接住
ズババン
ドガッ
就是這裡！

グシュ
ボフン
!

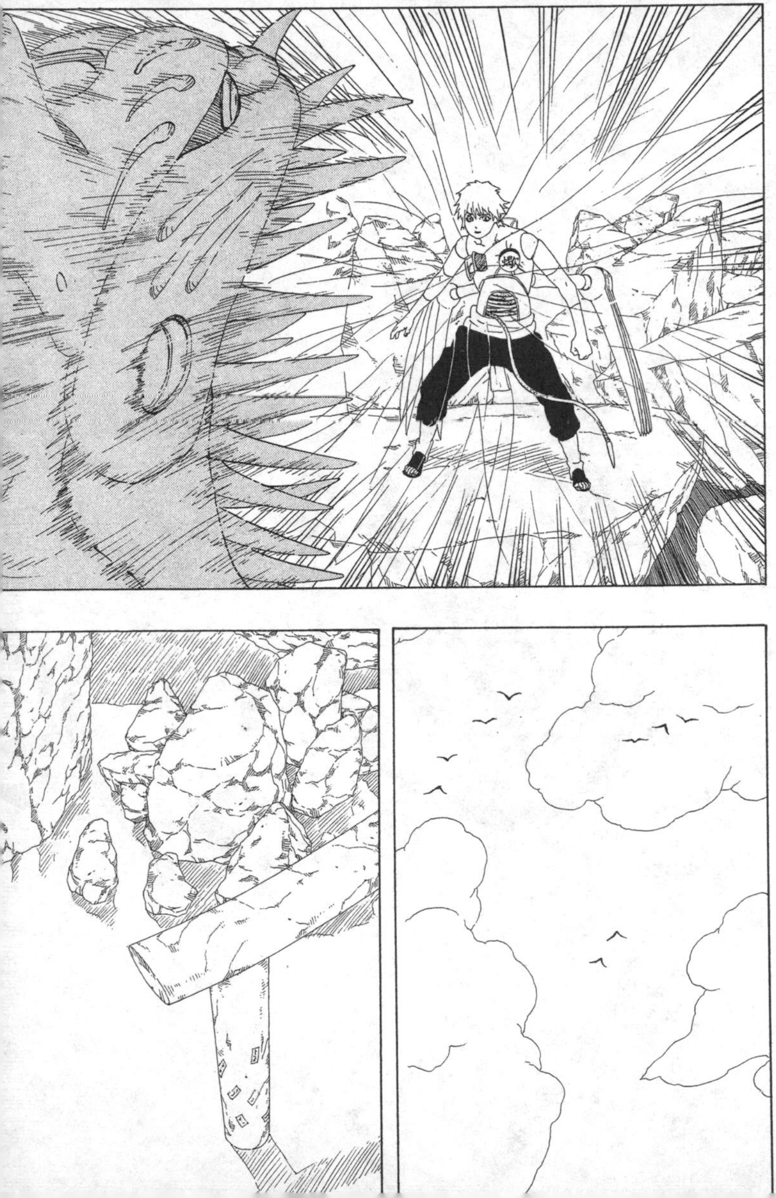

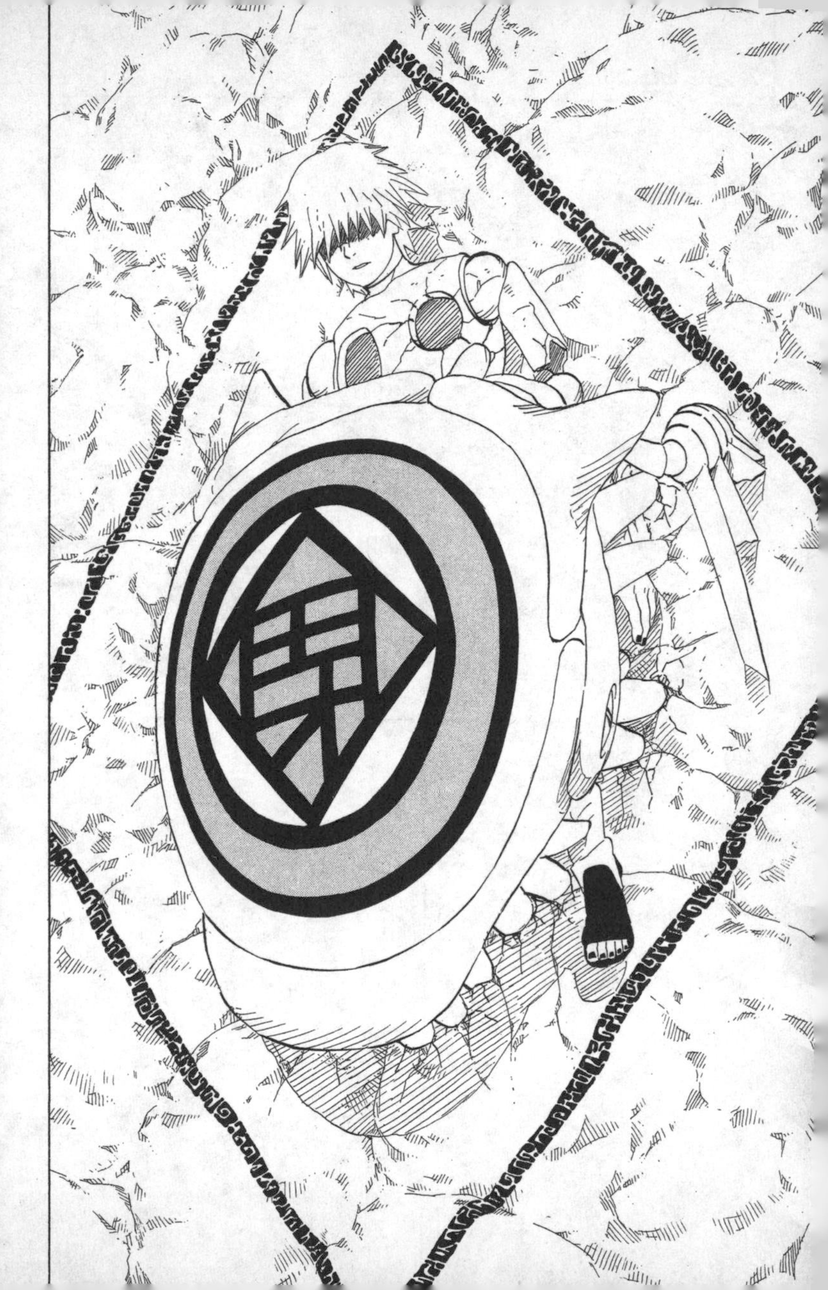

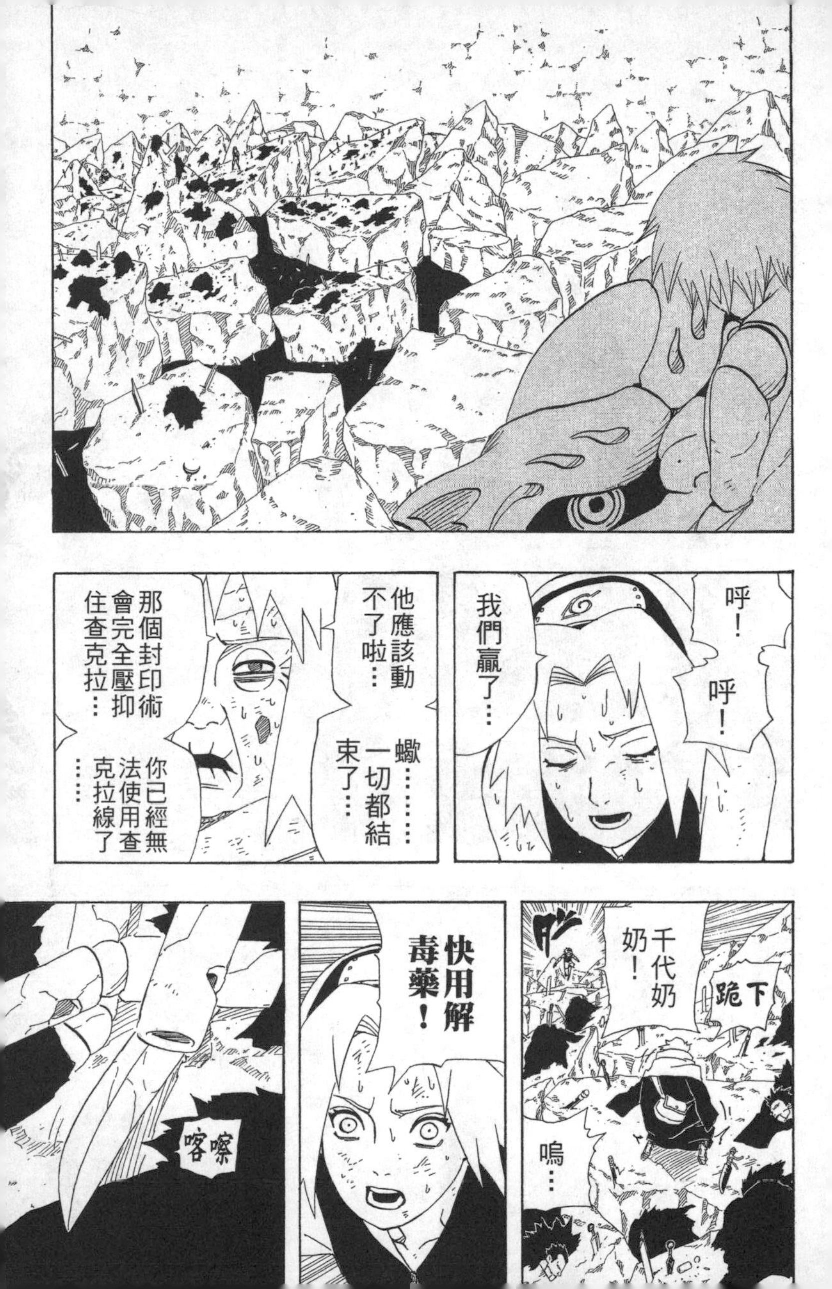

呼！
呼！
我們贏了……

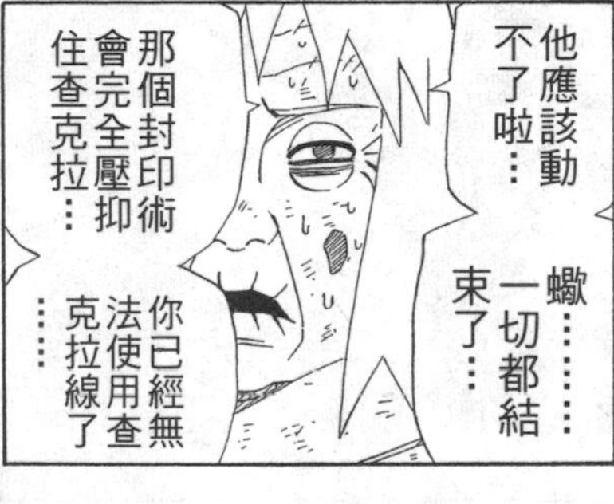
他應該動不了啦……
蠍……一切都結束了……
那個封印術會完全壓抑住查克拉……
你已經無法使用查克拉線了……

跪下
千代奶奶！
嗚……

快用解毒藥！

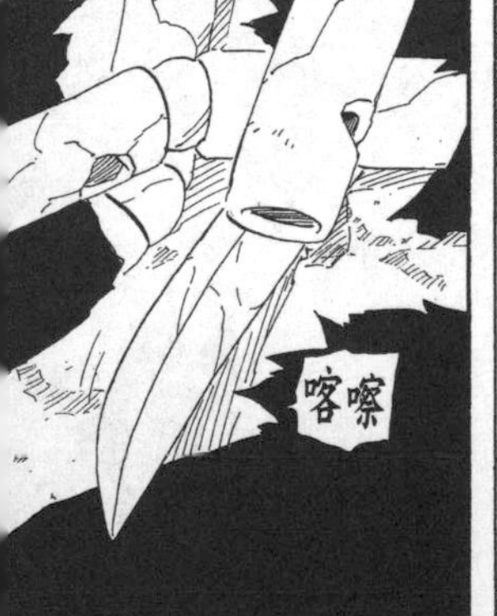
喀嚓

カチャ…

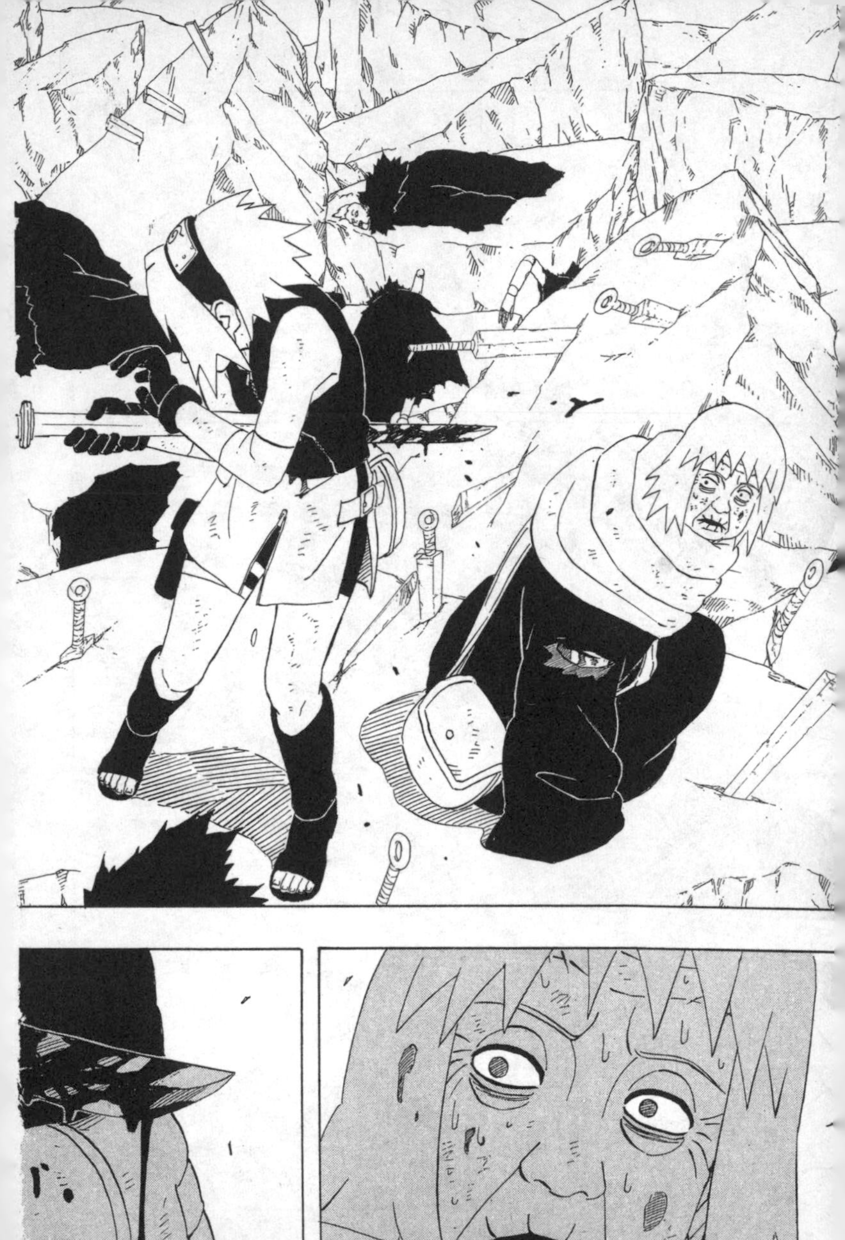

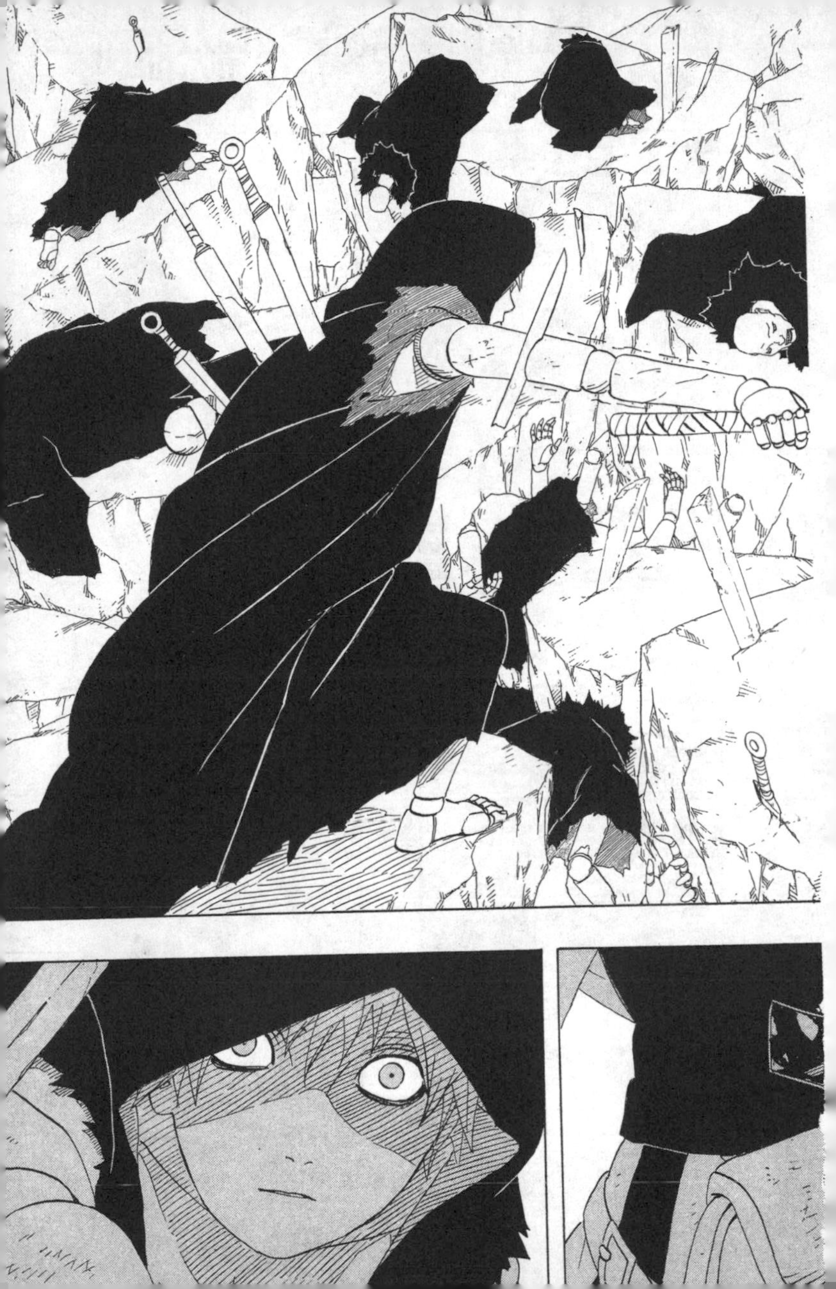

NARUTO 火影忍者 原創角色優秀作品公佈 PART②

（大阪府　うめぼし讀者）

○她的出身國是哪裡呢？我對這個充滿謎團的女孩子很在意，所以就選了這個作品。

（三重縣　AYUMI讀者）

○依照砂忍者村之忍者的風格，使用沙漏這種東西當武器這一點蠻不錯的。

（東京都　マエ・ダン讀者）

○這個點子真棒！真的好有趣啊！就讓他出現在火影忍者裡吧！這個角色真棒！

（埼玉縣　東城勝士讀者）

○岩石炸彈如果命中，就能夠讓對手被炸飛到比9999公尺更遠的地方這個設計蠻不錯的。另外我覺得岩丸蠻帥氣的。

274：
無法實現的夢想

呼
呼
呼

……

小櫻！

！
嗚…！

快……快
用解毒藥
啊……
プルプル
千代奶奶…

哦…？
妳傷得這麼
重，還能擔
心別人啊？
真是了
不起。

嗚…
ツ
ナ

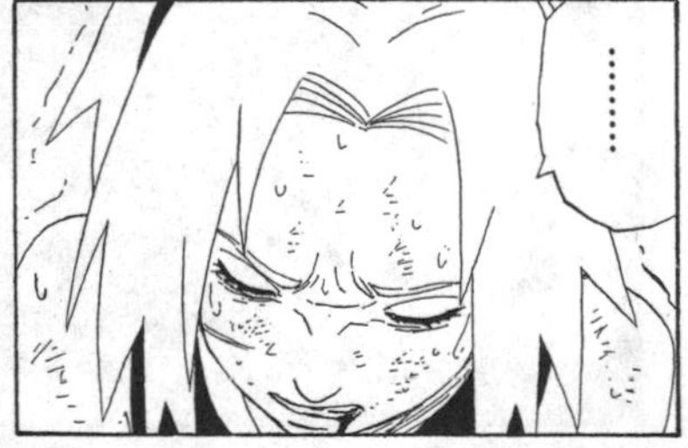
……

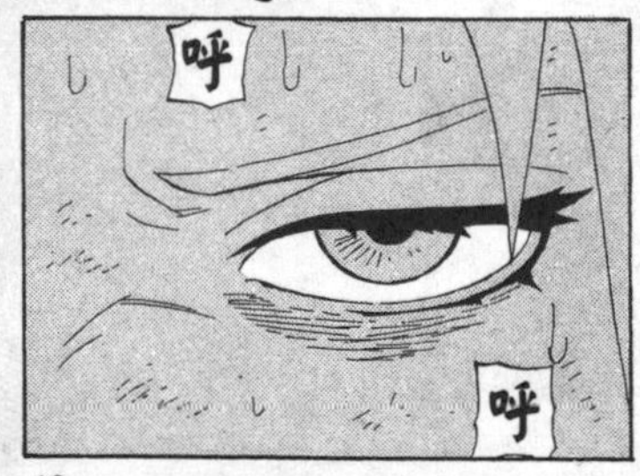
呼
呼

咻咻咻

這傢伙……

在刀子還沒拔出來的狀況下，就開始進行止血和治療……
確實不簡單……

！
嗚……！
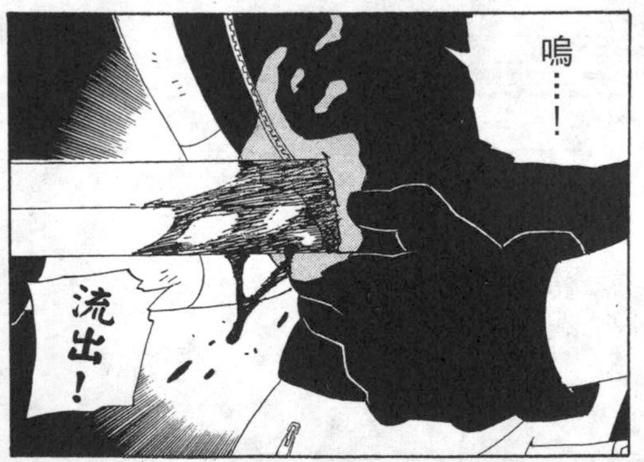
流出！

看來毒藥已經發生效用了…
這把刀子當然也是毒刀。

毒性…讓我的身體痲痹了…
我已經…無法順利控制查克拉…
呼
呼

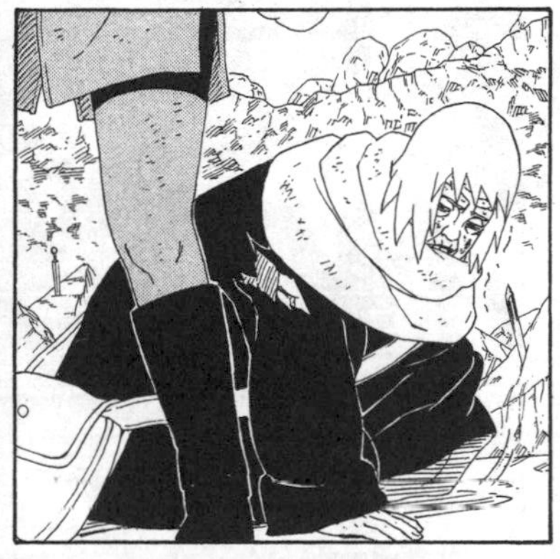

拿出

呼
呼

ガシ

……

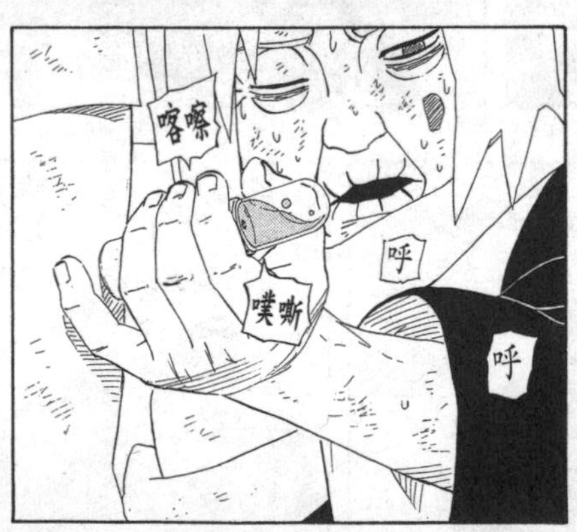
喀嚓
呼
噗嘶
呼

原來是那
東西啊…

為……
為什麼…
呼
呼

嗚…!
!

!
顫抖…

我不會放開的……

……

呼
呼

喀嚓

千代奶奶！

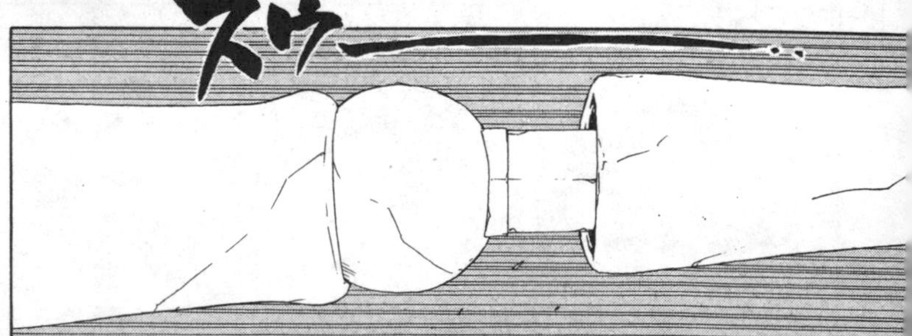
スウ——……

シュカッ
ザザッ
ガタッ
バッ
ザザッ
ガシャ

呼…
呼…
!

嘞……你到最後還是鬆懈……

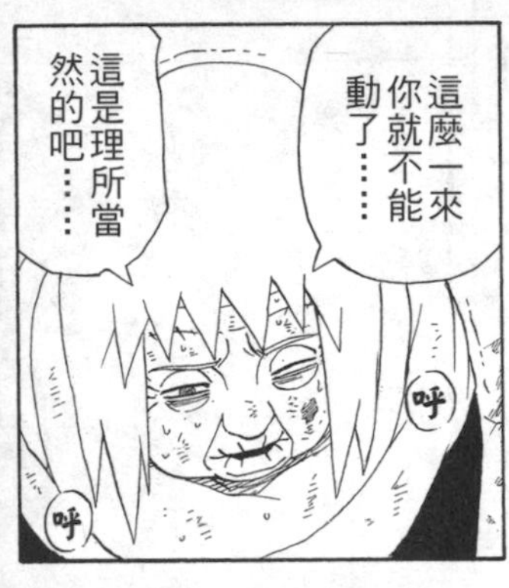

這麼一來你就不能動了……
這是理所當然的吧……
呼
呼

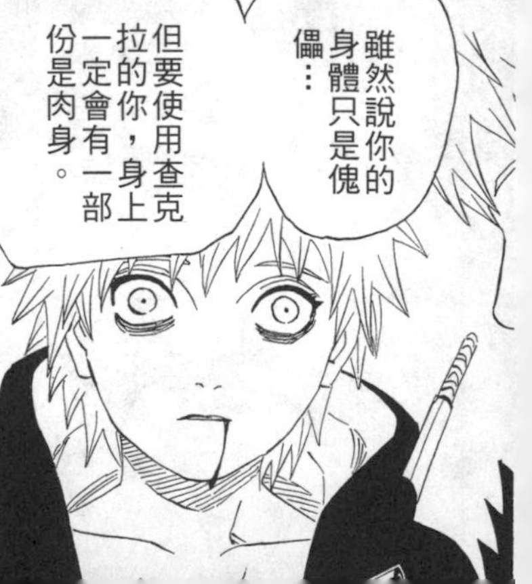

雖然說你的身體只是傀儡……
但要使用查克拉的你，身上一定會有一部份是肉身。

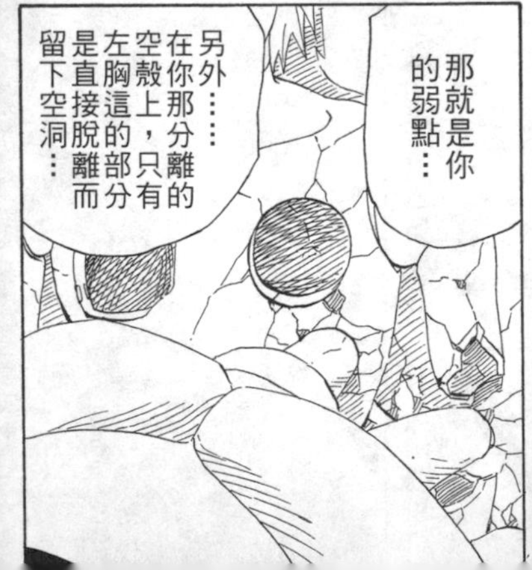

那就是你的弱點……
另外……在你那分離的空殼上，只有左胸這的部分是直接脫離而留下空洞……

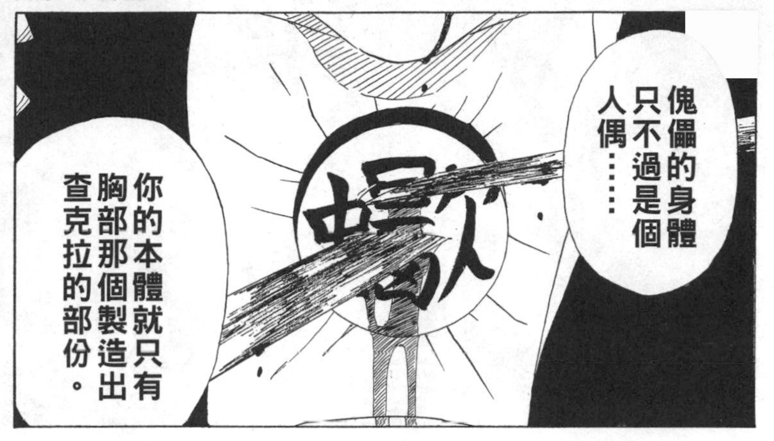
傀儡的身體只不過是個人偶……
你的本體就只有胸部那個製造出查克拉的部份。

哼……

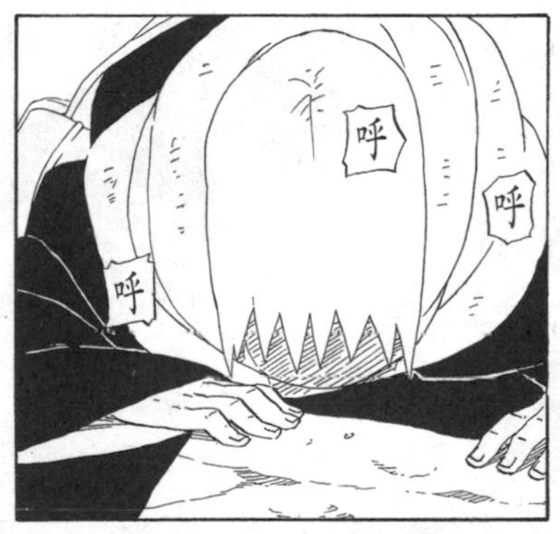
呼
呼
呼

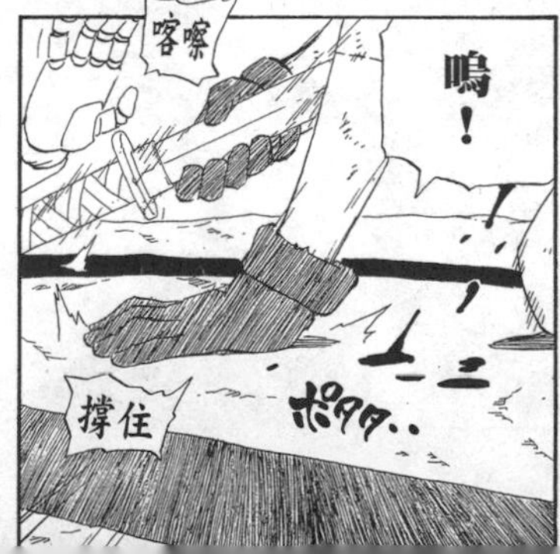
喀嚓
嗚！
ポタタ..
撐住

小櫻！
ドサッ

ドドドチャ……

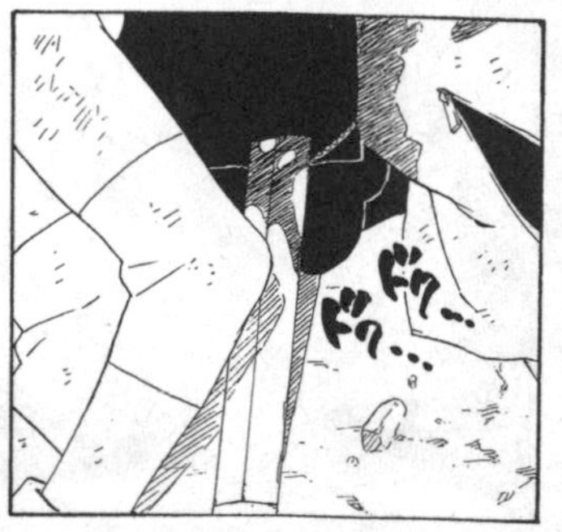
ドクー…
ドクー…

總之要趕快幫她一邊封住傷口…
一邊把刀子拔出來才行…
ブウウン
呼
呼

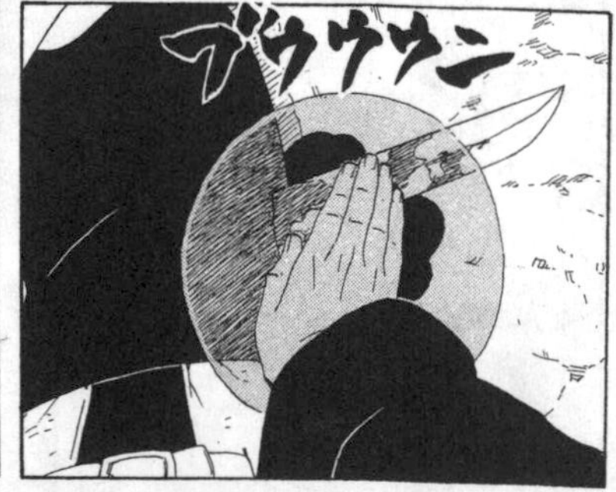
ブウウウン

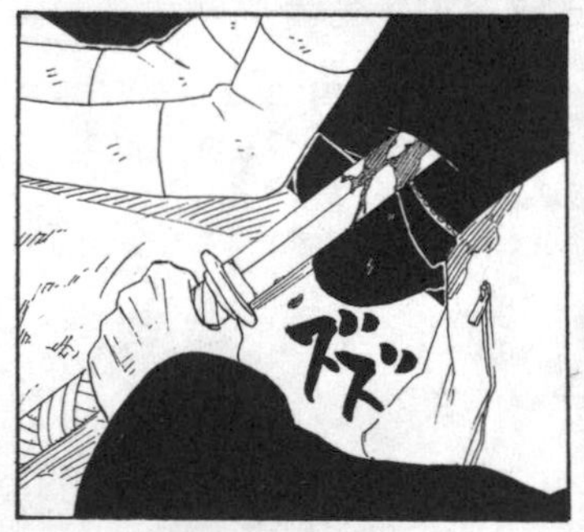
ズズッ

嗚…
ビクン!

忍耐一下…就快好了…

カラン
カラン

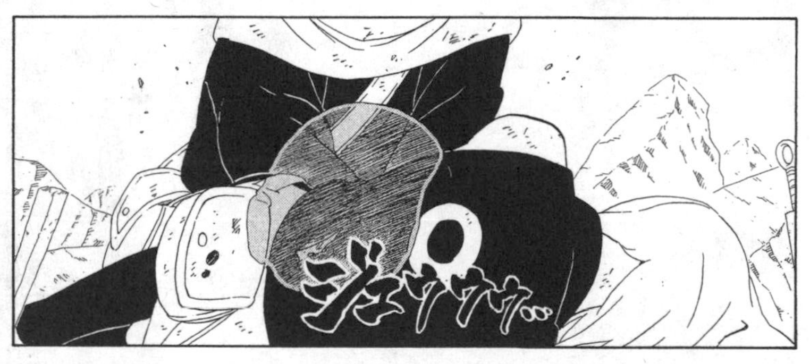
ジュウウウ

沒用的…我攻擊的是她的要害。
即使沒中毒…也是撐不了多久。
她已經流出太多血了。

就因為妳也是醫療忍者…
所以我才攻擊無法輕易治療的部位。

呵呵……我已經用醫療忍術做完應急處理了。
現在我用的不是醫療忍術……

？
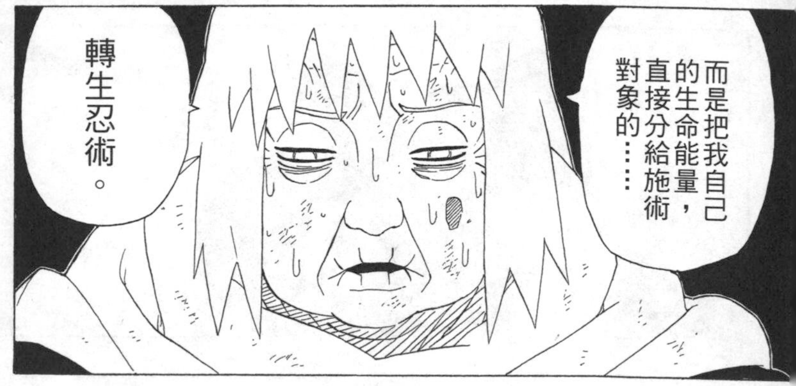
而是把我自己的生命能量，直接分給施術對象的……
轉生忍術。

………

ズイイイ
本來這個獨創的忍術……
是我花了很久的時間為你而想出來的術。

……？

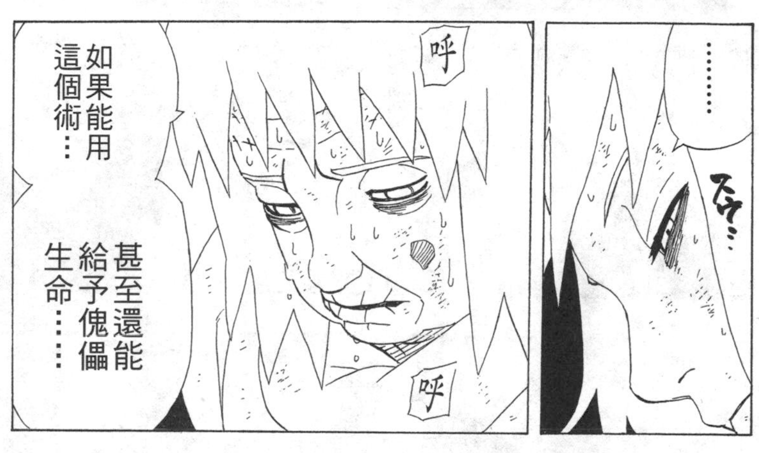
……
呼
如果能用這個術……
甚至還能給予傀儡生命……
呼

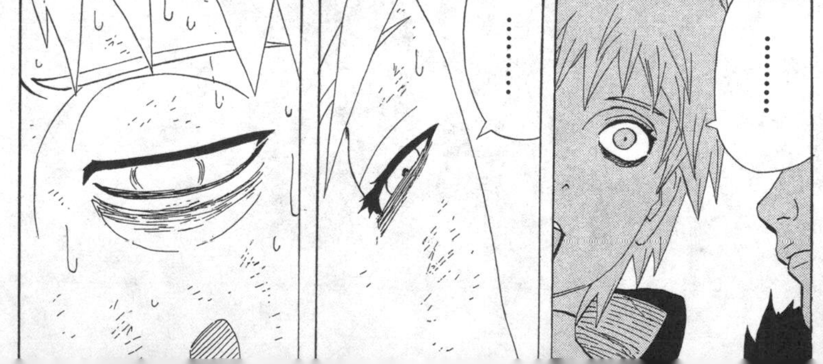
……
……

不過代價是施術者必須失去自己的性命…

……

但是現在……
這已經成了無法實現的夢想……

……

真是可笑…

275：
獎賞…！

真無趣啊……
老太婆，妳什麼時候開始變得癡呆了？

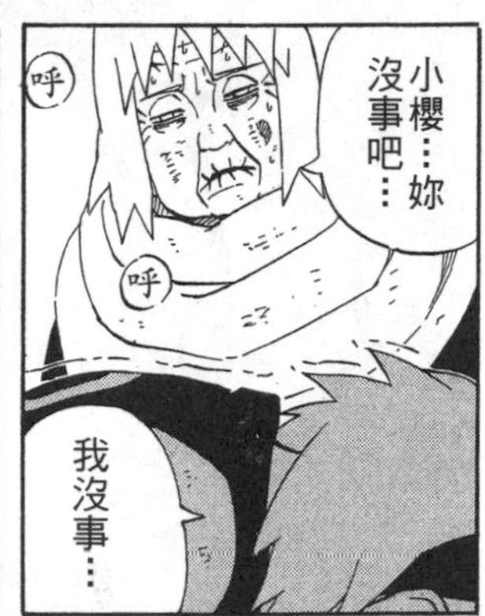
小櫻…妳沒事吧…
呼
呼
我沒事…

……千代奶奶，妳……

嗯？
這真是奇怪啦……

妳不是說「轉生忍術」……
是一種藉由讓施術者失去性命，來讓死去的人復活嗎？

小櫻雖然受到致命傷……
但她並沒有死亡…
所以我…也只會變成這樣…
呼

那還真是……可惜啊……

呼！
呼！

……

省省力吧……
啪
我的身體可是一點痛楚也感覺不到。
打我只會傷到妳的拳頭而已。

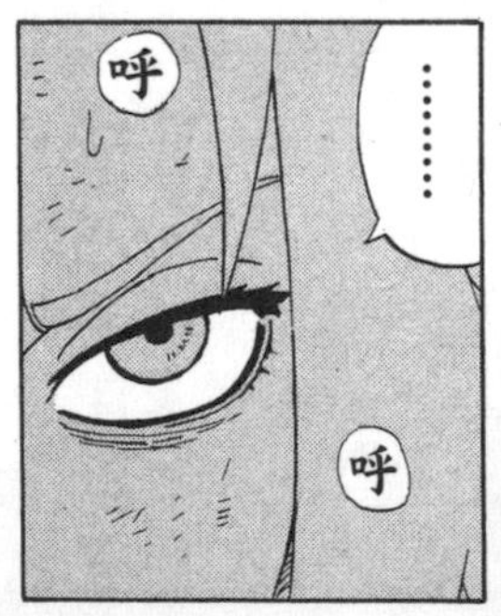
……
呼
呼

女人真是一種……
喀
喜歡做無謂之事的生物呢……嘻嘻……

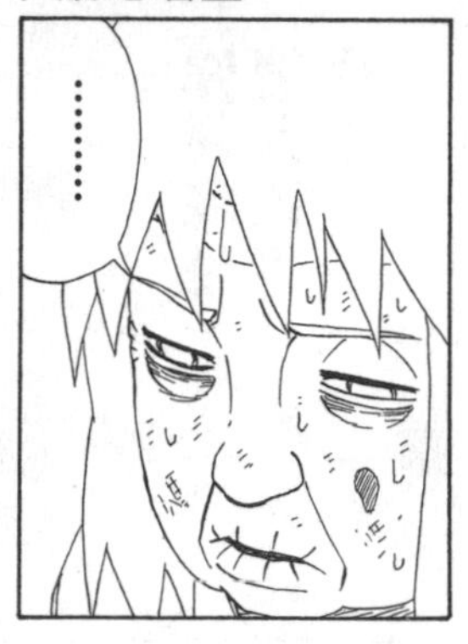
……

即使那個和我有血緣關係的老太婆死去，
我也不會有什麼感覺…
我的心……
和身體都一樣……

到目前為止，我殺了幾千幾百人…
她就如同其中一人。
事情就是這麼單純。

プルプル…

你到底是把人的生命……
當成什麼了！

你到底把自己的親人當成什麼！

喂……
這是忍者該說的話嗎……？

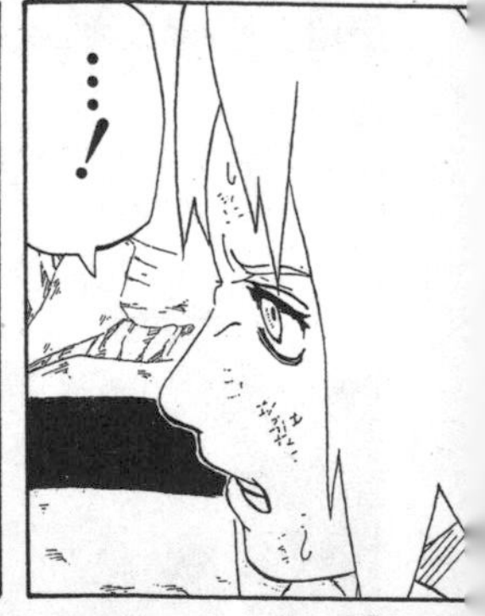

為什麼…
為什麼你只會有這種想法！

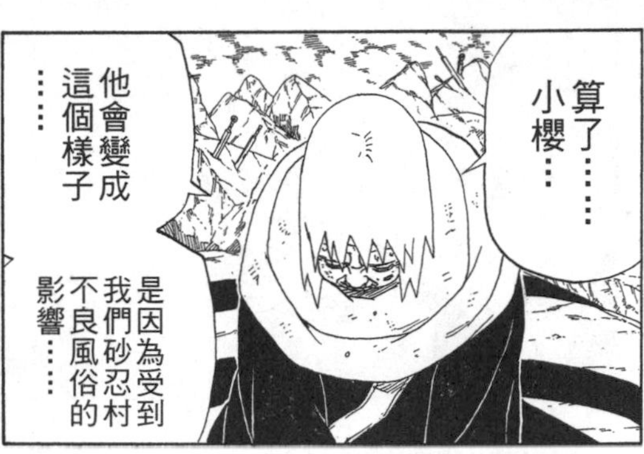
算了……小櫻……
他會變成這個樣子……
是因為受到我們砂忍村不良風俗的影響……

……

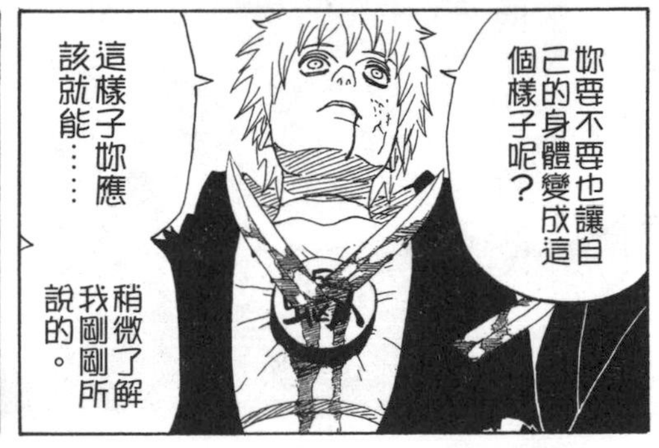
妳要不要也讓自己的身體變成這個樣子呢？
這樣子妳應該就能……
稍微了解我剛剛所說的。

……

這是個不會腐朽的身體…
傀儡可以一再地被重新製作……
所以壽命也不會受到限制…

身邊想要有人陪……只要製造出傀儡就行…

不過前提是
自己真的想
要有人陪⋯

⋯⋯

但不是只
要有更多
傀儡就行
了⋯⋯
收集品重視
的是品質。

你⋯⋯
到底是什
麼東西？

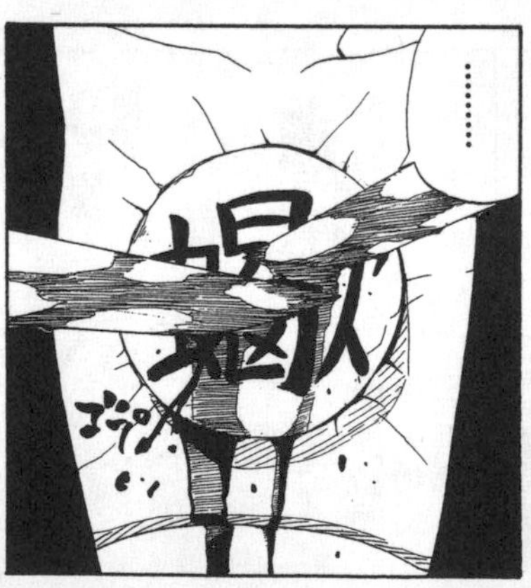
⋯⋯

如果硬是要我做出個結論的話……
我算是一個……不完全成為人偶的……人類吧……

雖然我是個傀儡，但卻是個擁有肉身「核心」的不完全傀儡……
我不是人類……也不是人偶……

……

我馬上就動不了啦……
在這之前，我也來做件無謂的事吧……
就當做妳們打倒我的獎賞……

…!?

……

我記得……
妳很想知道大
蛇丸的事……

十天後的
中午……
妳到草忍
村的天地
橋去吧。

這是什麼
意思？

大蛇丸的部下
之中，有我派
去的間諜……
我和他說好
了要在那裡
碰面……

……！

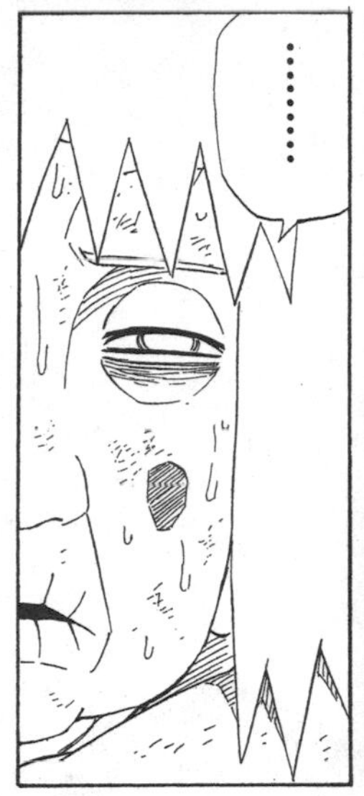
……

フッ…

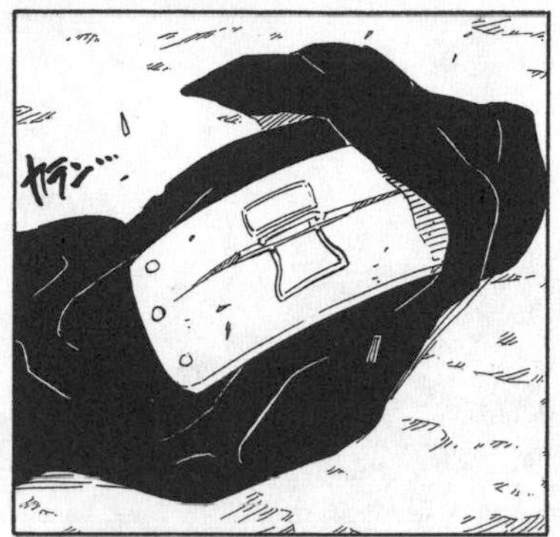

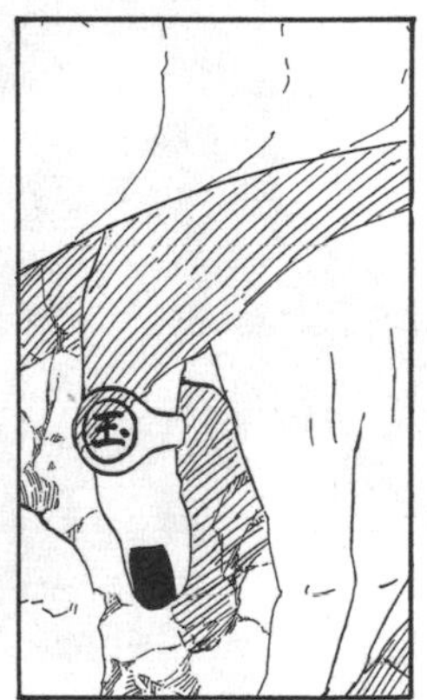

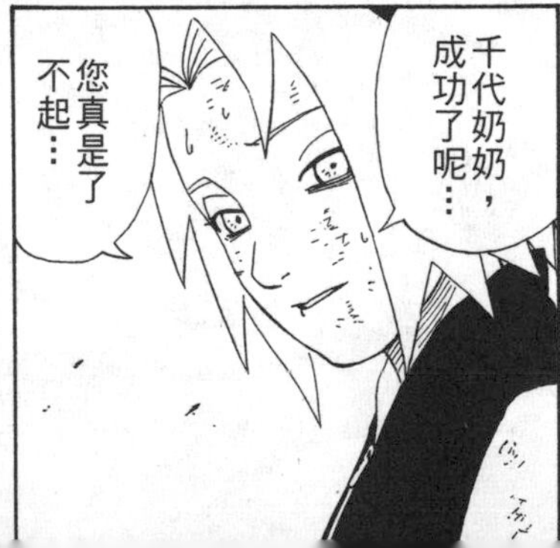
千代奶奶，成功了呢…
您真是了不起…

……

不……
本來會被打倒的人……
應該是我……
？

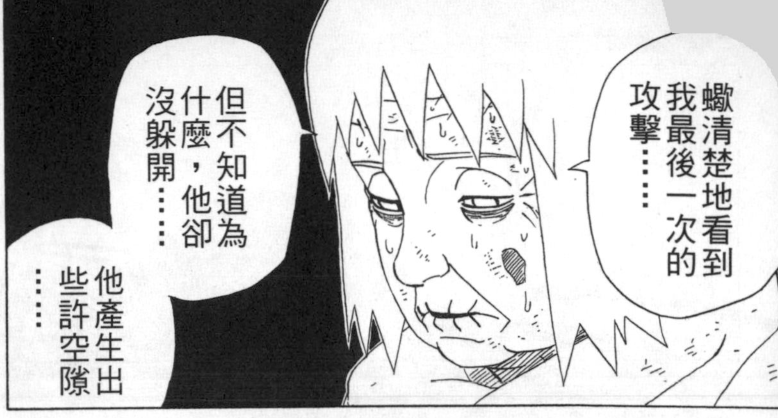

蠍清楚地看到
我最後一次的
攻擊……
但不知道為
什麼，他卻
沒躲開……
他產生出
些許空隙
……

……

難道說
……

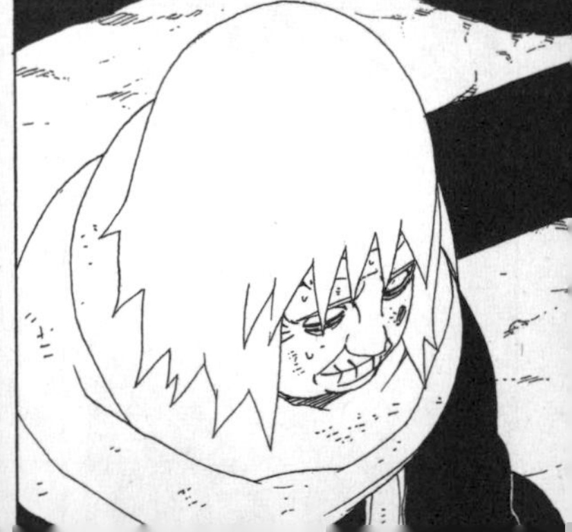

嗚！
!!

!
千代奶奶！

我們快回村子去吧！
我馬上會做出解毒藥……
不……
!

為什麼？
我們該做的事已經做完了！
所以要趕快回村子裡幫您解毒，不然就……
這不重要……
呼
呼

我還有著必需要
事情……去做……

那個小鬼……已經長大了呢……
他們到底想幹什麼？
嗯……

卡卡西老師！還沒好嗎？

別急嘛……

我的查克拉沒有你那麼多，

所以要花上不少時間。不過……

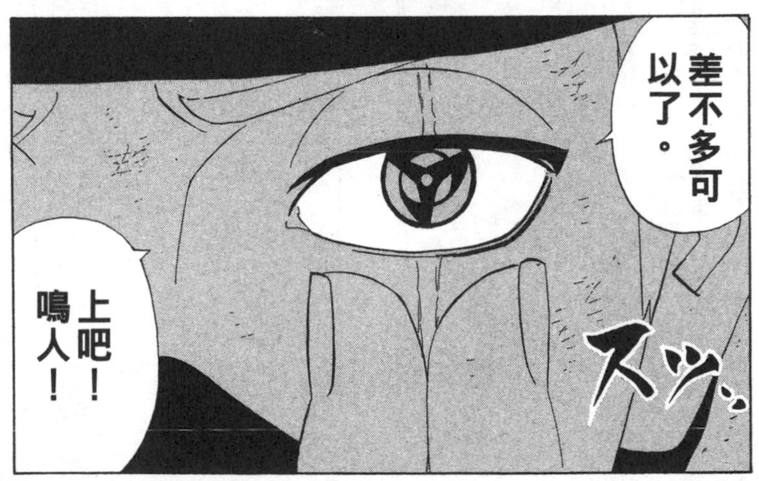

NARUTO 火影忍者 原創角色優秀作品公佈 PART ③

（茨城縣　S讀者）

○典豪先生的胸毛看起來好驚人喔。阿我沙的能力好像也很強。

（福岡縣　結城泉讀者）

○用鑰匙當道具使用這個點子很新奇。這個點子讓我覺得還能夠做很多事情呢。

（石川縣　鬼っ娘。讀者）

○這裡提到的著名電影是哪一部呢？是星○○戰嗎？他手上拿的就是光○嗎？

（青森縣　エンジェル工藤讀者）

○她好像是忍者時裝雜誌「忍X2」的模特兒，身高有173公分。可以的話我也想知道她的三圍。

276：新的寫輪眼！

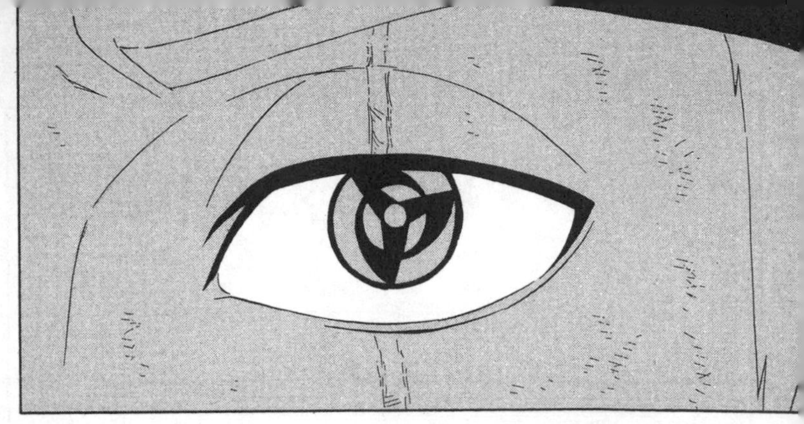

那就是…

你剛剛所說的…

ザザッ
沒錯！
這就是新的寫輪眼。

……

……
怎麼了?

卡卡西老師…即使失手也沒關係……
最後我一定會收拾掉他的——!

我知道…

如果有機會讓你表現的話……

…知道了!

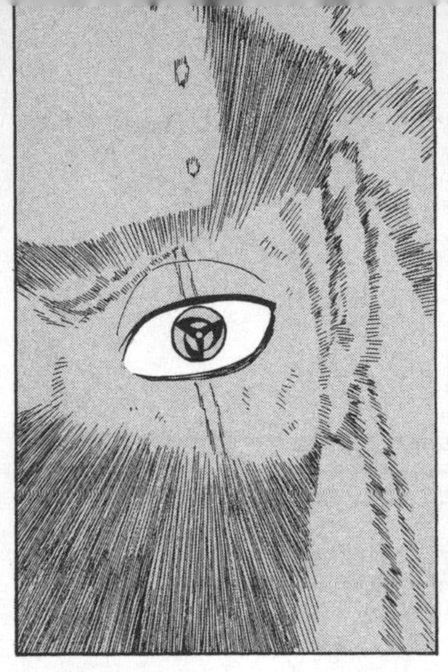

萬花筒寫輪眼！

ドン

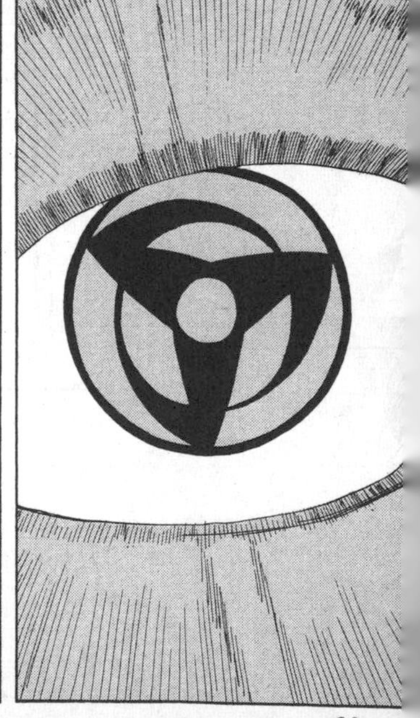

!?
這…這是什麼？

瞳術…？
糟了！
這是什麼術啊？
好厲害…

居然把我的手和
整個空間給……
好可怕的術！

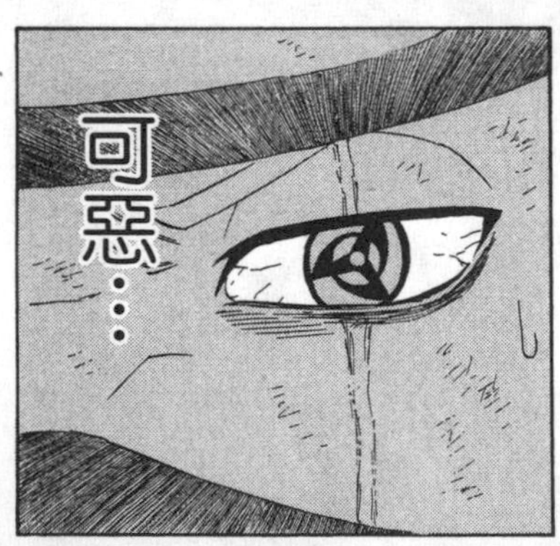
可惡…

嗚啊啊！
唔……

嗚……喔……
失手了……
我還無法順利控制結界空間的位置和大小……
呼
呼
ギン
ズッ…
!!

呼！
呼！
ズドズドド!!

螺旋丸!!
!

可惡…

很好！
呼
呼
呼

ザッ
影分身之術!!
ダッ
ボン
ボン

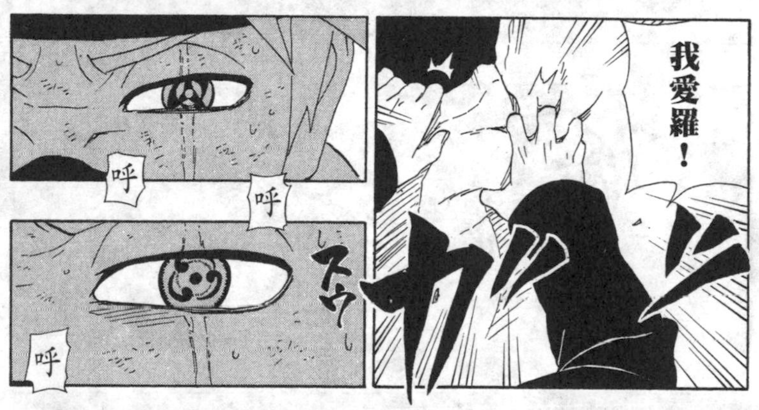
我愛羅！
呼
呼
呼

卡卡西老師，你沒事吧——？
還撐得住……

連右手都被…這樣就無法用術了…
沒有勝算啊…

但是……我沒想到居然有人會用像鼬那樣的瞳術…
這個「祭品之力」不算什麼，問題在於卡卡西…嗯…

我要揍扁他……

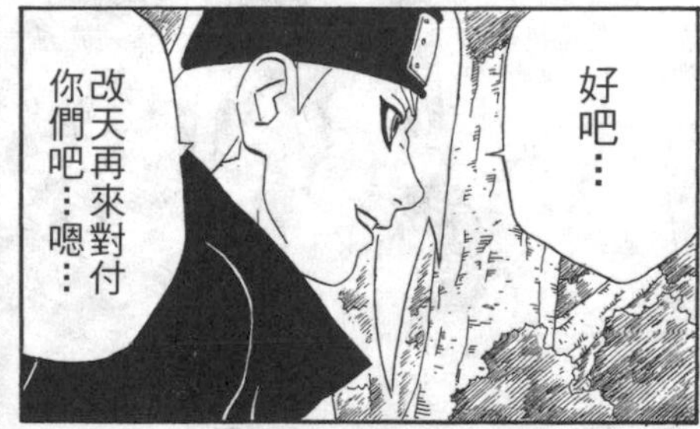

好吧…
改天再來對付你們吧…嗯…

你太大意了…

277：：
終極的藝術！

影分身!!

抓住

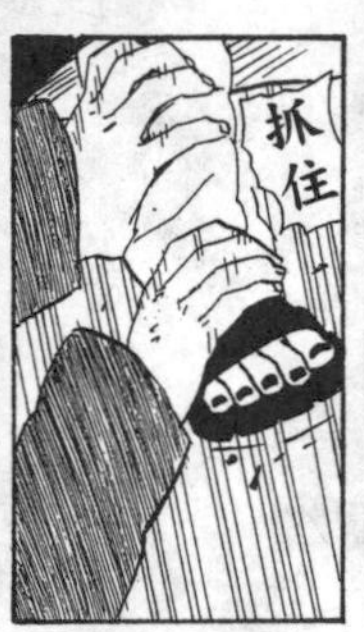
抓住

抓住

抓住

嗚啊！

嗚喔！
嗚……

嗚！
啊！
嗚！
鳴人……

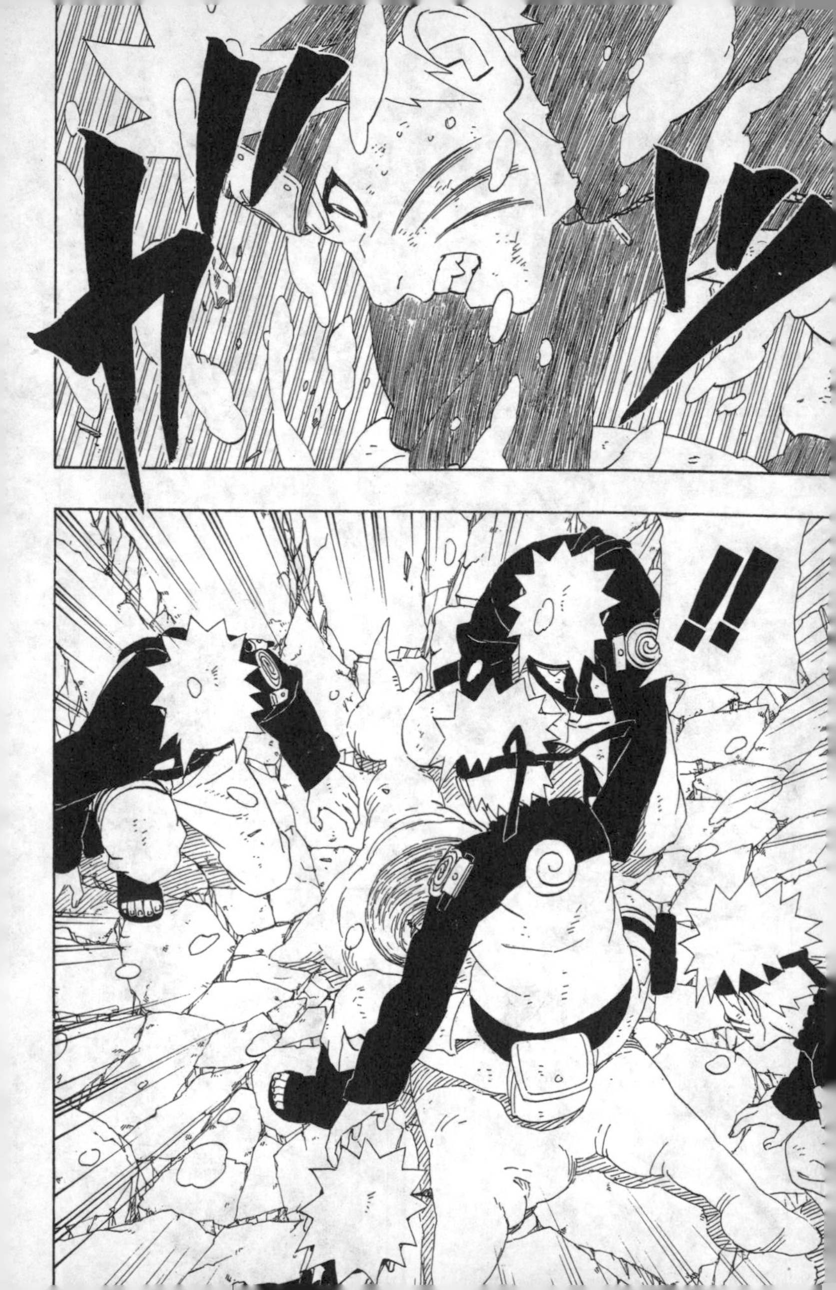

黏土……？
是替身啊……

ボボボボン

ボフボフボフボフ

！
那就是自來也大人說的……

……！
那是什麼……？
那就是「祭品之力」的……

ギョロ
抖動

ボッ
ボッ
ボッ
タッ

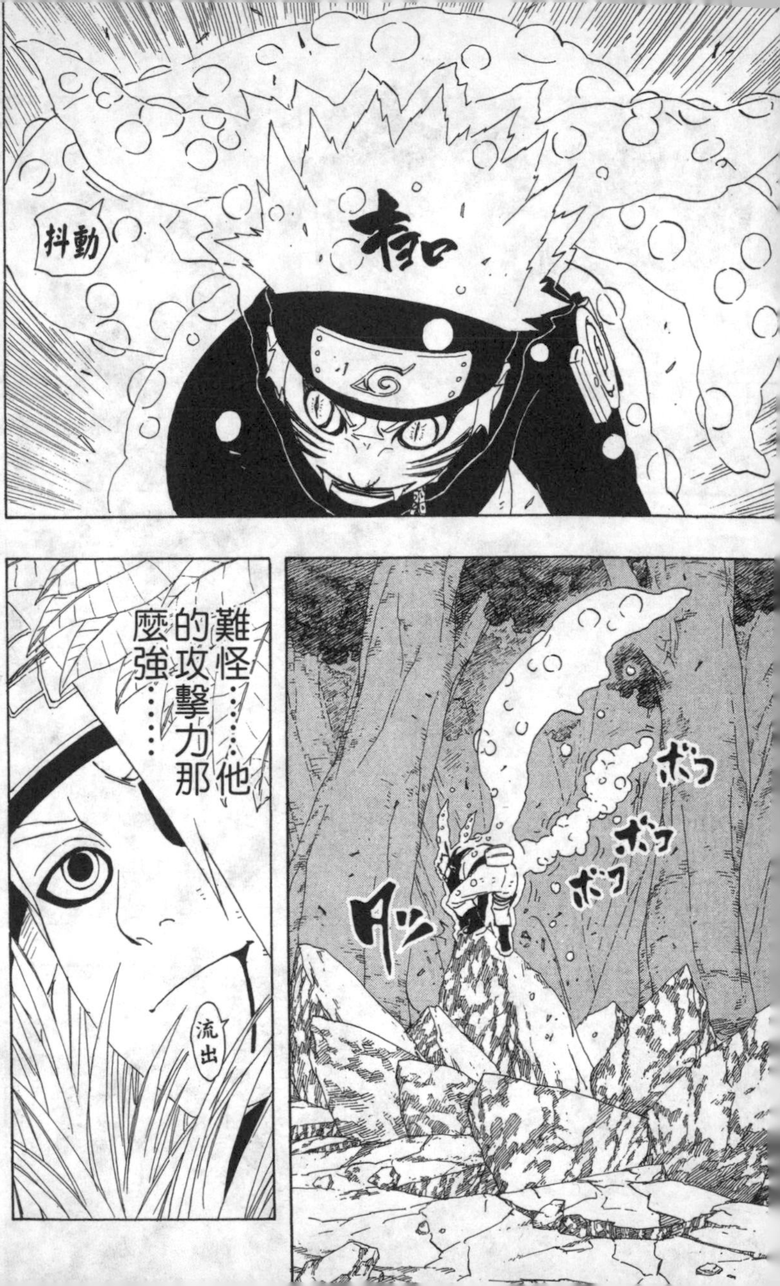

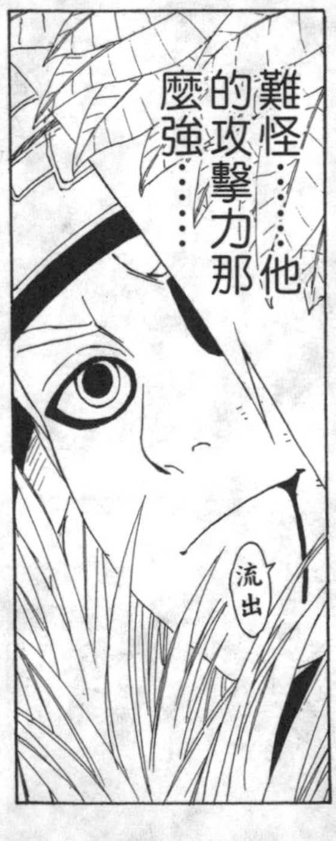
難怪……他的攻擊力那麼強……
流出

嗚！
好熱…
！
ガバッ

如果從他體內漏出來的查克拉，開始變得像是妖狐的外型，就要小心點…
你聽好了…要趁著尾巴還只有一條的時候阻止那東西……

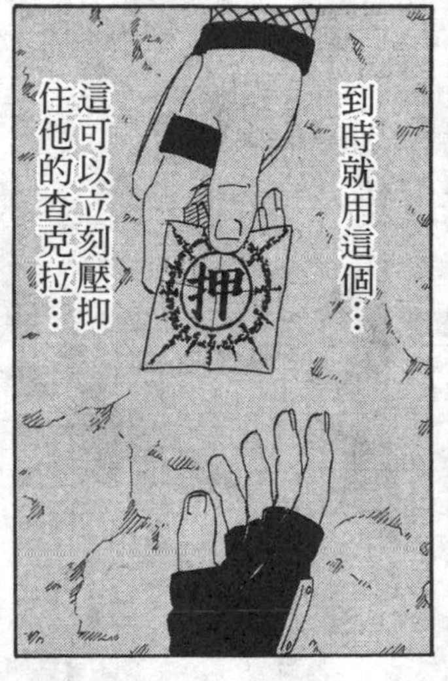
到時就用這個…
這可以立刻壓抑住他的查克拉…
押

馬上就碰到這種狀況了…
バッ

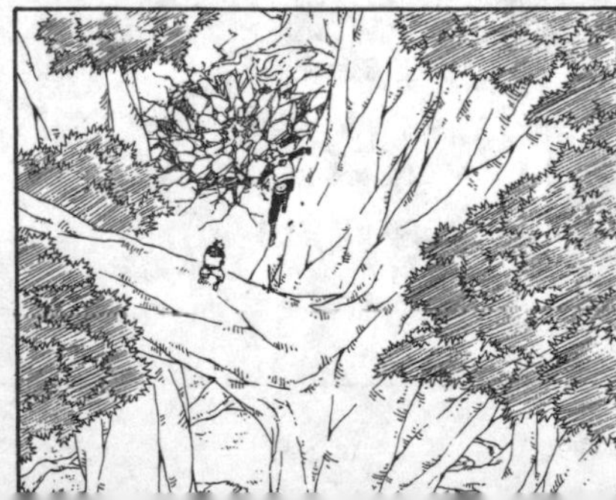

バン
!
ダッ
ザッ
押
……

ズズズズ

真是個強敵…
呼
呼
不愧是我的冒牌貨…

呼
呼

沒問題了！

呼——

鳴人，你冷靜下來了嗎？

自來也大人……到底看到了什麼？
呼
呼

タッ

總算見到你們了…

妳們怎麼知道我們在這裡？
！
因為剛剛看到敵人飛往這邊…

看來你們……
還沒有打倒敵人…

小櫻，妳們…
已經打倒敵人啦…

是啊…不過那不重要…
我愛羅怎麼樣了？

チラ…

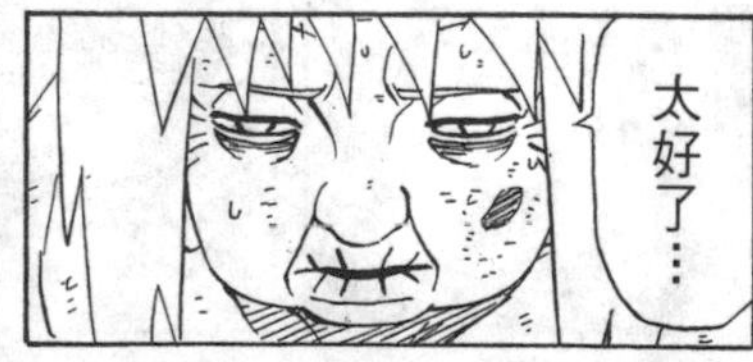
太好了…

……

真沒想到啊……
蠍老兄居然被那個
小姑娘和老太婆給
打倒了……

說什麼要留到
以後的永久之
美……
居然這麼快就
死了……
他那種把自己
的弱點顯示出
來的造型，就
表示他對自己
太有自信了……

不過看在我
眼中……
唰
他的死就像是
藝術家的死……

出現

！

寧次，辛苦了。

キ

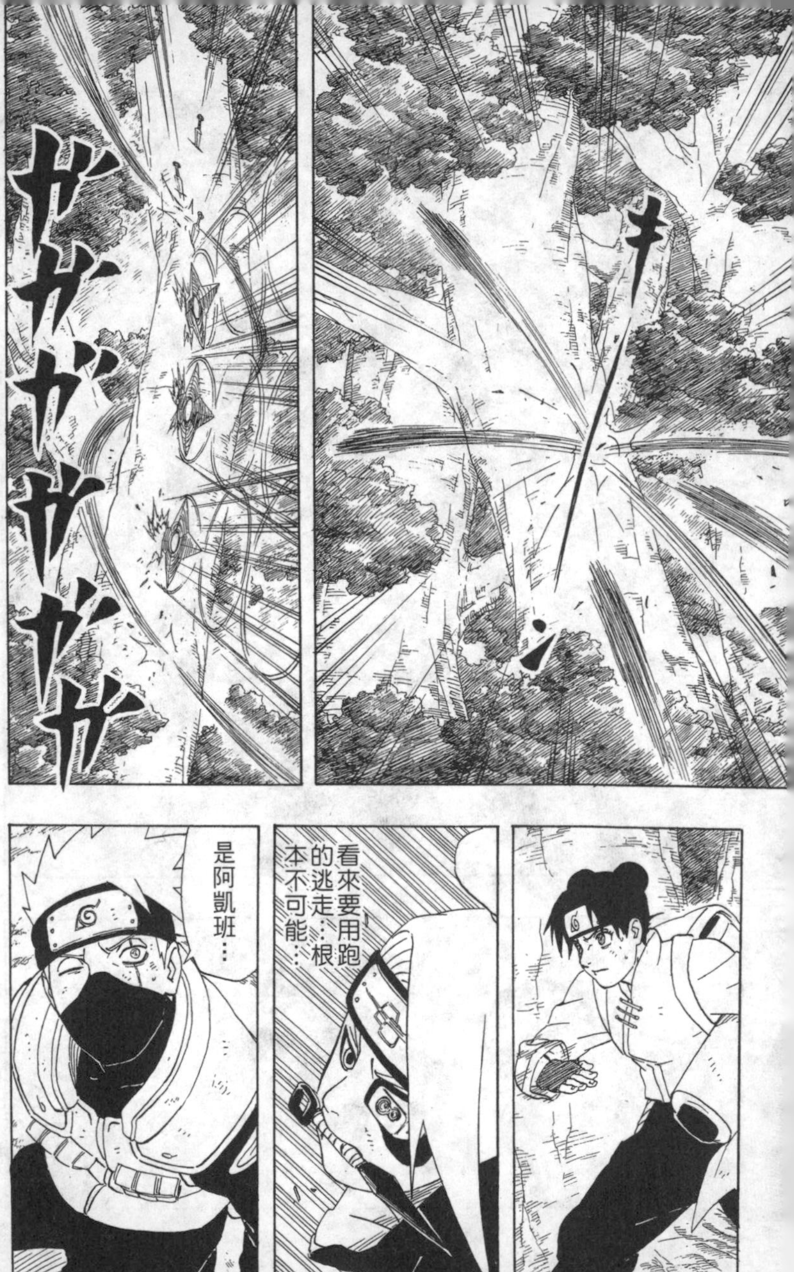

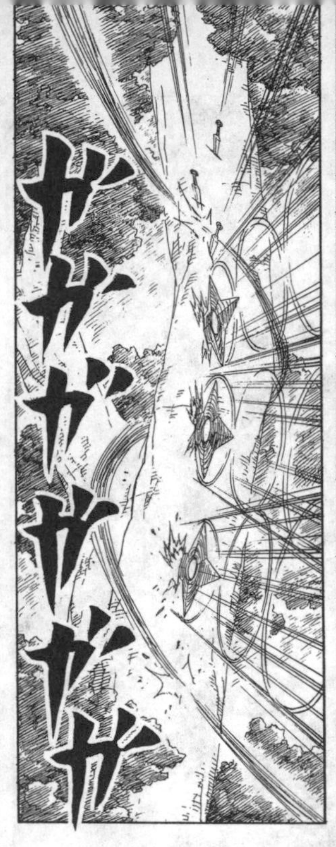
ガガガガガガ

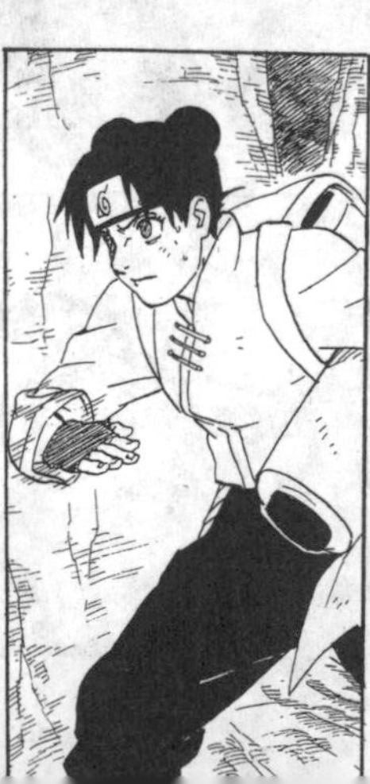

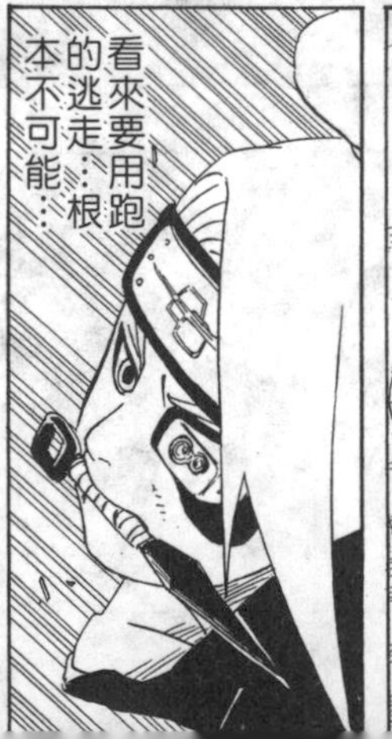
看來要用跑的逃走…根本不可能…

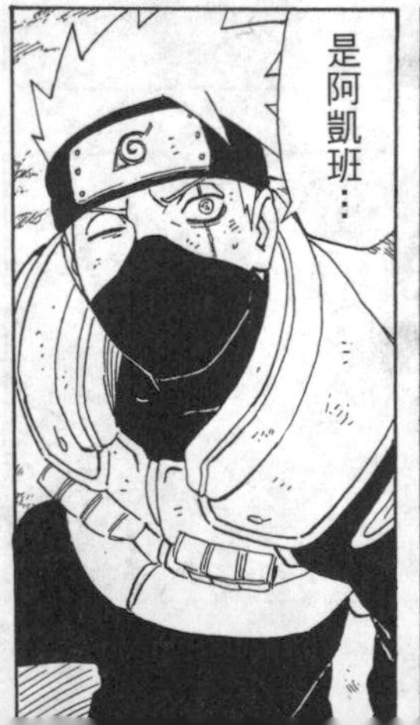
是阿凱班…

在那裡啊……

ザザッ
ザザッ

大家小心點！
他是會用炸彈攻擊的遠距離攻擊型忍者！

ザッ
ザッ
ザッ

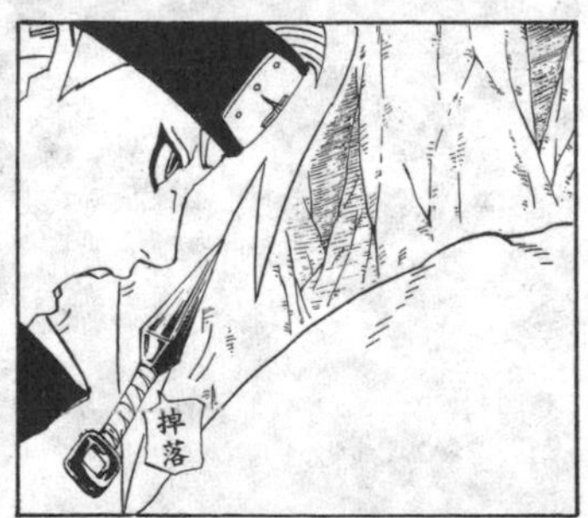
摔落

ガラン

啪！

我就讓你們看看我的終極藝術吧……
藝術就是爆炸！
ザッ

!!

查克拉被一口氣集中在一點！
難道……

大家快點離開
這裡！

!!

……

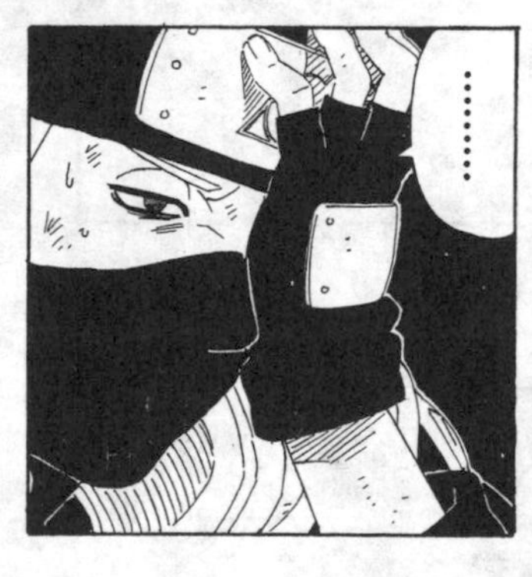

NARUTO 火影忍者 原創角色優秀作品公佈 PART④

（京都府　つめ切り讀者）

○好讚啊！這兩個阿姨年輕的時候應該也很厲害吧。這種人好像也會出現在木葉忍者村呢。

（大阪府　SHIHO★讀者）

○他是流行教主這點真的很棒！木葉忍者村好像會有這種人呢。

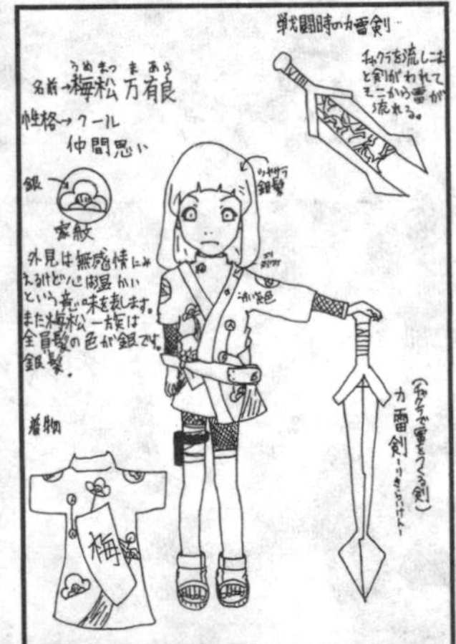

（千葉縣　ピート讀者）

○家紋等等的東西有被仔細設定這一點真的很稀奇。在設計一個角色的時候，這可是很重要的呢。

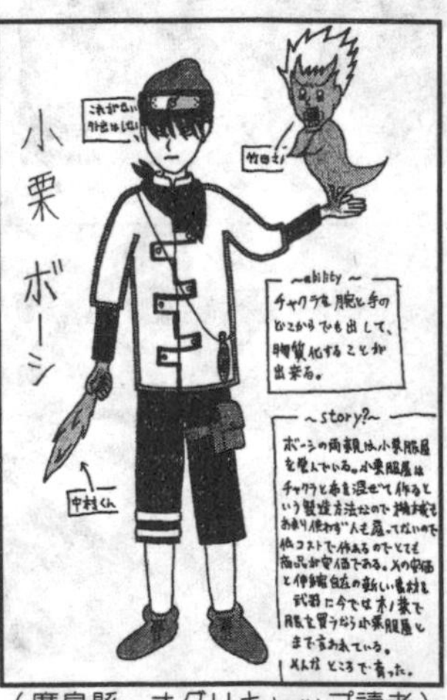

（廣島縣　オグリキャップ讀者）

○爲什麼武器的名字像是朋友的名字呢？這點讓我蠻喜歡的。而且他們家的服飾店以低成本來製造產品，所以商品很便宜這點也不錯。他在那種地方長大的設定也很棒。

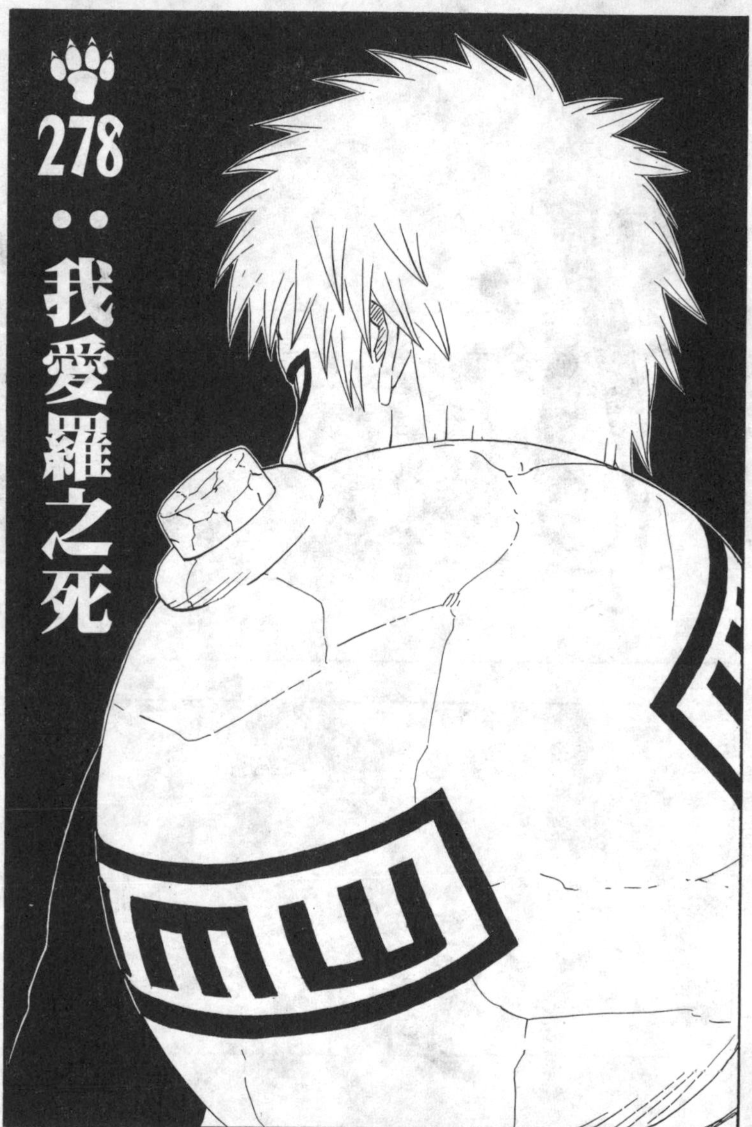
278 ∶ 我愛羅之死

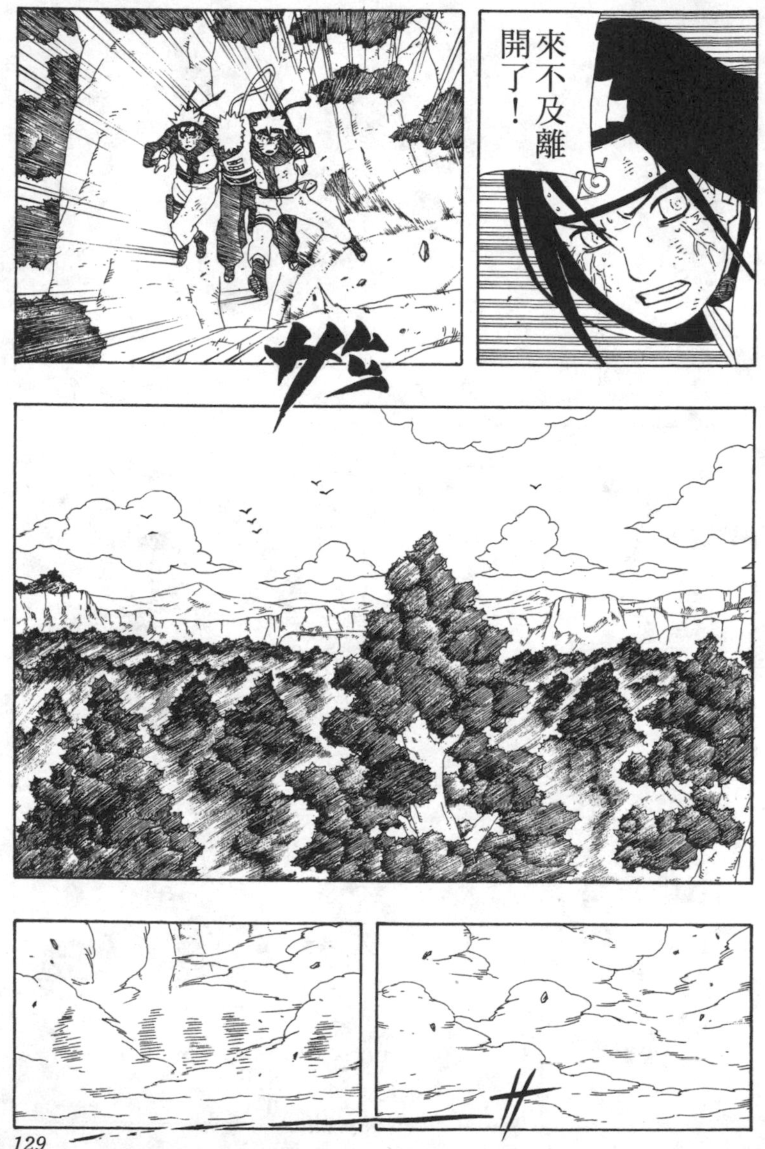
來不及離
開了！

……

……！

怎麼樣了……？

……

……

…!

!

ズ
ズ
ズ

ズズ…

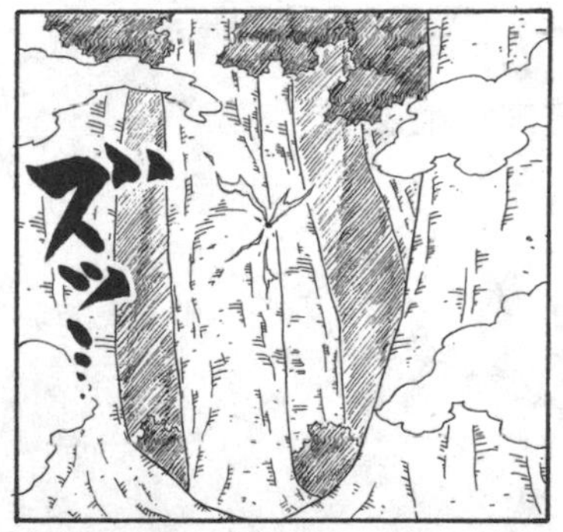
ズッ…

還好總算是趕上了…

呼！

呼！

……

呼！
呼！

真不愧是我的勁敵……

！

卡卡西老師，你沒事吧？

你到底……做了什麼……？

我把整個爆炸……
轉移到別的空間去了……
呼！
呼！

大家……
都沒事
吧…？

！

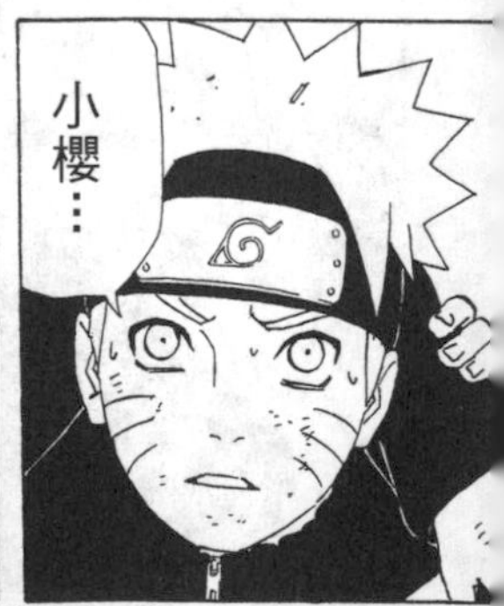
小櫻…

……
コクン

……

小櫻……

……

……

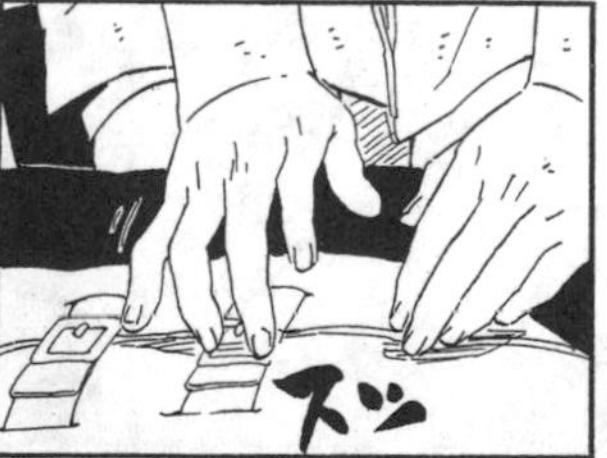

ズッ

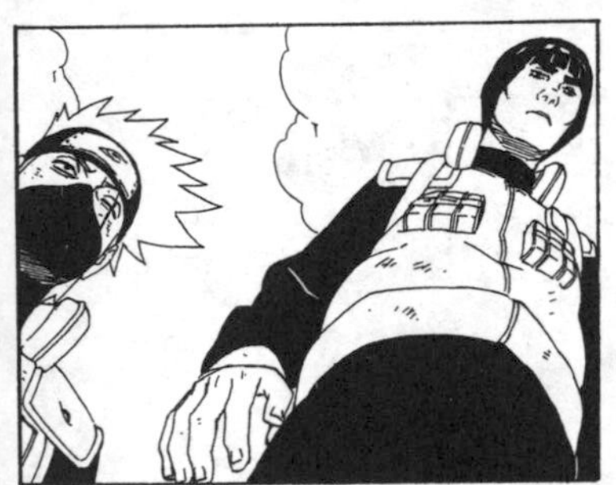

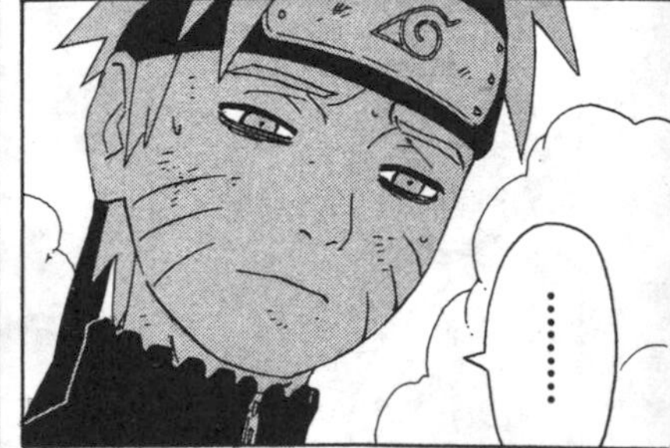

………

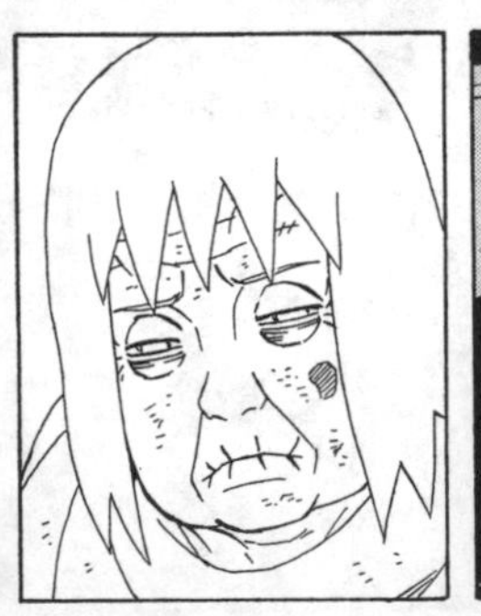

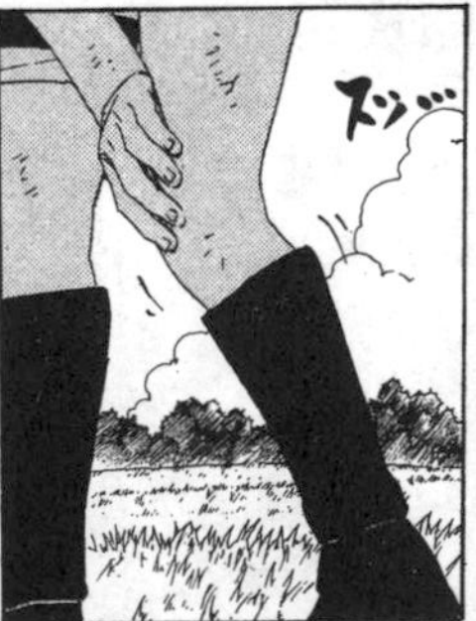

スッ…

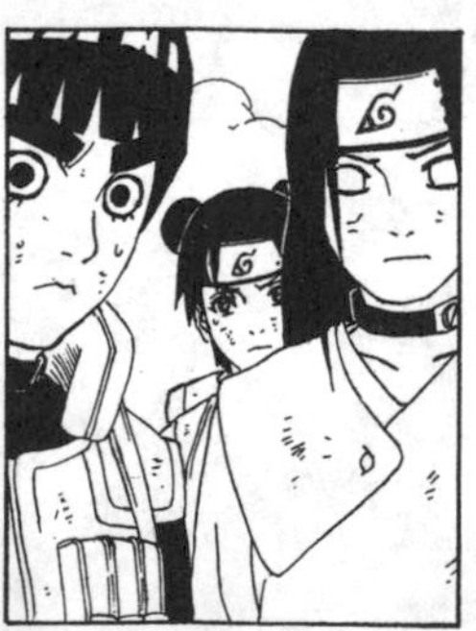

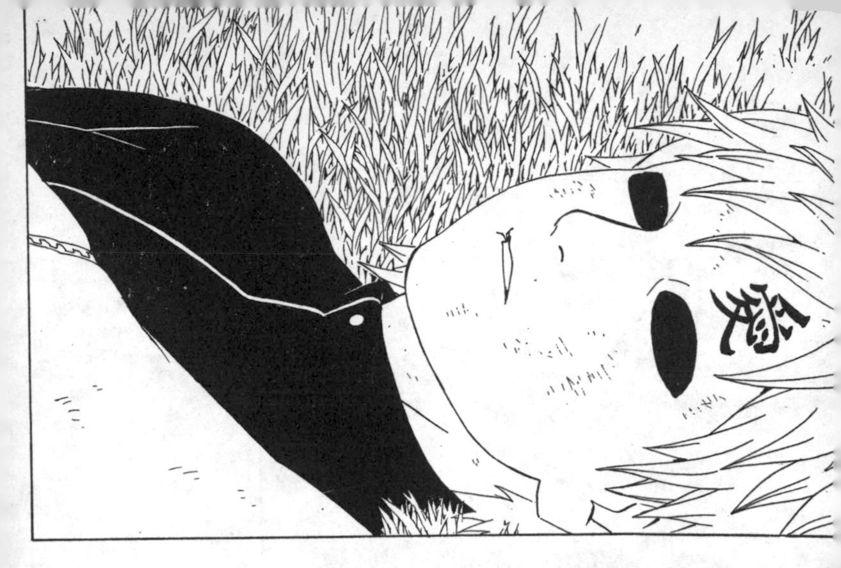

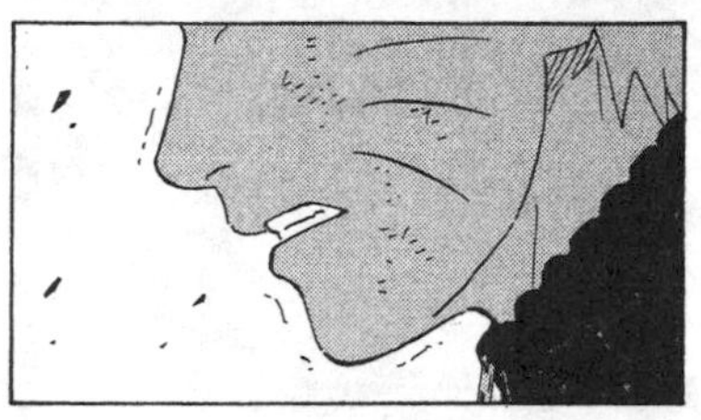
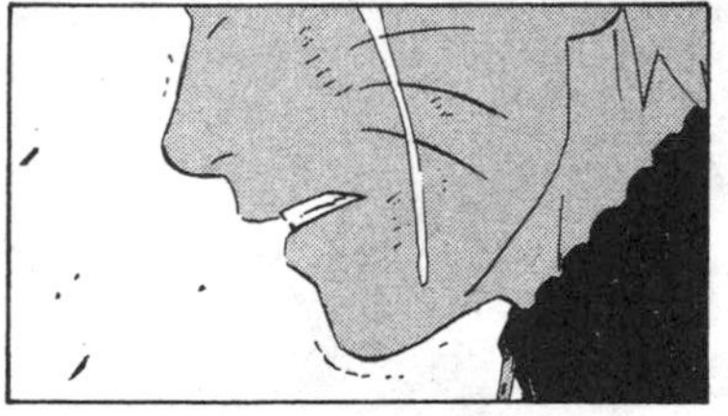
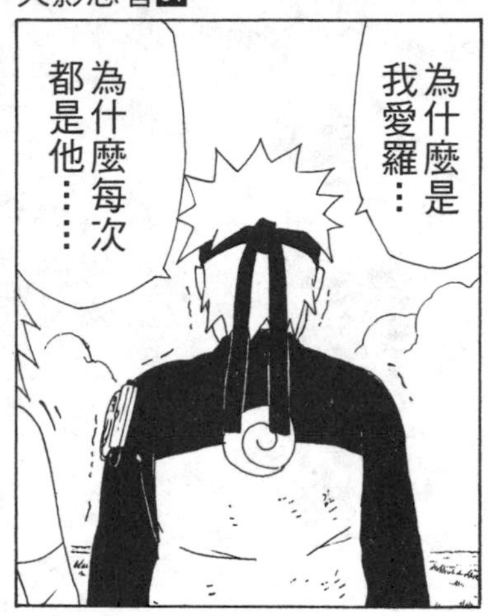
為什麼是
我愛羅…
為什麼每次
都是他……

怎麼可以就
這樣死掉…
グッ

他可是風
影啊…

他才剛當
上風影不
是嗎……

漩渦鳴
人……
冷靜點
……

少囉唆——！

……

如果你們砂忍，
不把那個怪物，放進他的體內…
就不會發生這種事情了！

你們究竟有沒有了解過…
愛
我愛羅他的想法？

什麼「祭品之力」！

創出那種詞語，而且還老是掛在嘴邊！就這麼了不起嗎？

……

嗚……

嗚……
嗚……嗚……
擦

……嗚人……

我救不了佐助……
也救不了我愛羅……

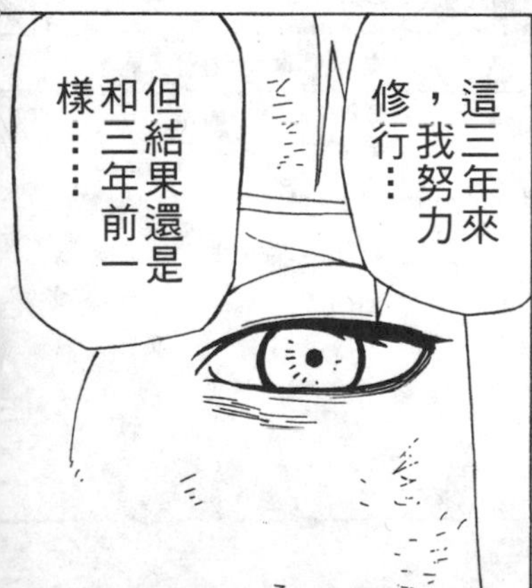

這三年來，我努力修行…
但結果還是和三年前一樣……

……

噠
噠

放上

ブゥウウウゥン

!!

…!

千代奶奶！
那個術是…

ニコ…

千代奶奶……

……妳想
幹什麼？

那是醫療忍術嗎……？
不……

我還有事……
必需要做……
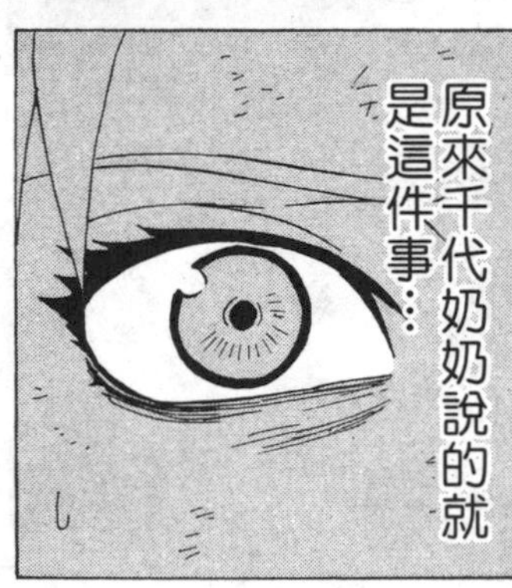
原來千代奶奶說的就
是這件事……

她要犧牲自
己的性命……

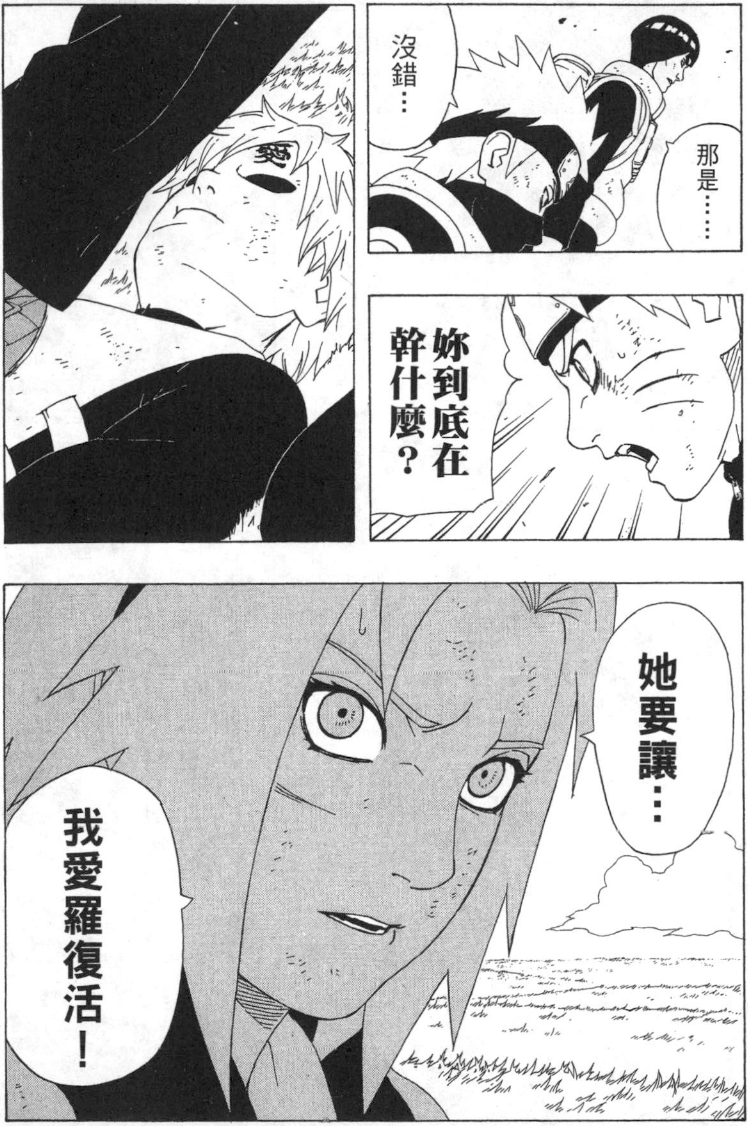

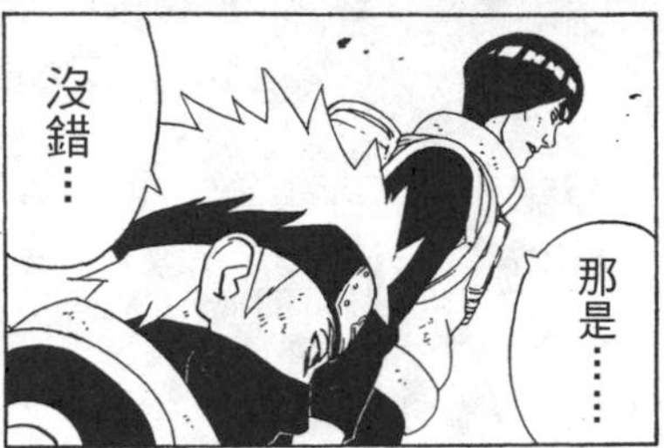
那是……
沒錯……

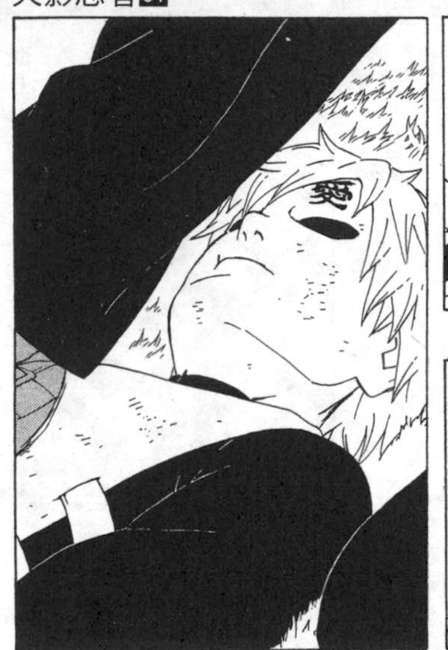
愛

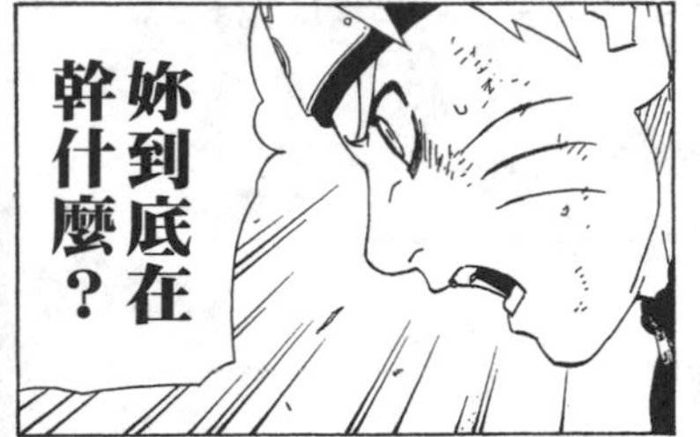
妳到底在幹什麼？

她要讓……

我愛羅復活！

NARUTO 火影忍者 原創角色優秀作品公佈

這次的火影忍者原創角色最優秀作品，就是（新潟縣　萬年肩コリ讀者）投稿的作品。

萬年肩コリ讀者將可以得到一張有岸本老師簽名的複製插圖喔！敬請期待！
我們也將繼續募集原創角色，請各位繼續踴躍投稿！

寄件地址為

〒119—0163
東京都神田郵便局　私書箱66号
集英社ＪＣ
「原創角色募集」係！

※不過只能用明信片寄喔！
千萬不要寄信函來喔！

【火山線香】

←岸本老師畫出來的就是這個樣子！

○她是個又瘦又高的女孩子這一點讓我很中意。她長得這麼可愛，身上卻會有線香的味道…

☆設計稿僅限於原創的角色！別忘了要把角色的全身畫出來喔！
○投稿的文章、插圖等會由編輯部保管一段時間後進行廢棄處理。如果您想要保存自己的作品，請先影印之後再進行投稿。另外，如刊載時不希望您的姓名、地址被刊載出來時，請在投稿時註明。投稿作品的著作權將屬於集英社。

279：不可思議的力量…！

讓他……
復活…？

這種事…
真的辦得
到嗎…？

這種術
……
是只有千代
奶奶才能用
的術……

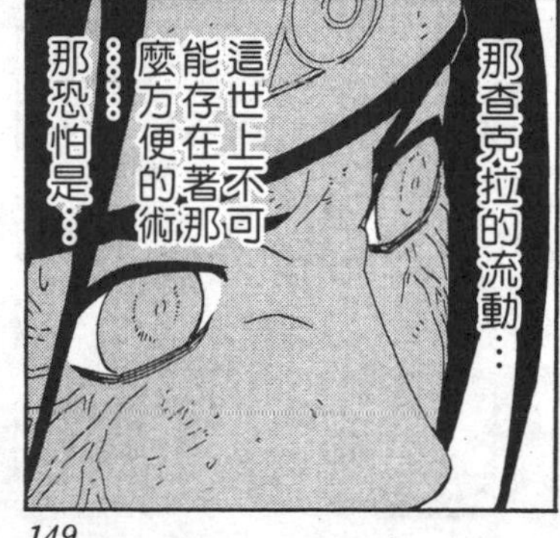
那查克拉的流動…
這世上不可
能存在著那
麼方便的術
……
那恐怕是…

必須要付出…
相當大的代價…
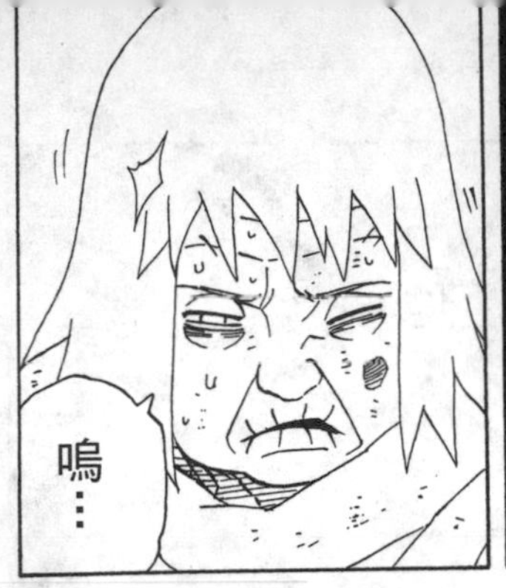
嗚…
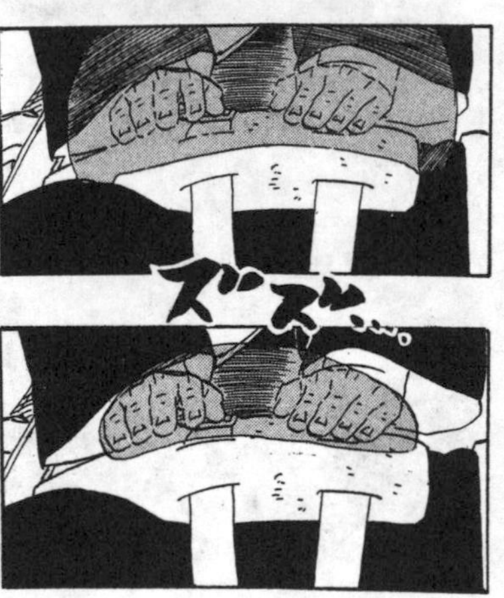
ズズ…

可惡…！
查克拉不夠用！
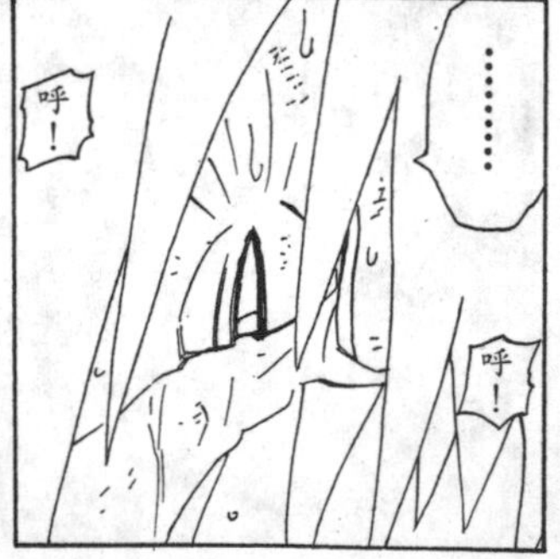
……
呼！
呼！

妳就用…我的查克拉吧…！
！

ズッ
妳真的能讓他復活嗎？
奶奶…

……
他和我愛羅一樣都是「祭品之力」。
和任何砂忍村的人比起來，他應該更了解我愛羅。

無論是在哪個村子…
「祭品之力」受到的待遇都沒什麼差別。
愛

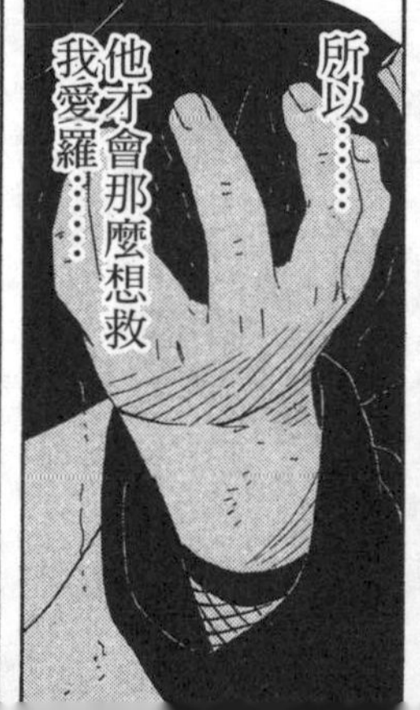

所以……
他才會那麼想救我愛羅……

無論是是木葉忍者村的人…或是砂忍村的人…
這對他來說，根本就不重要。

……

把你的手放在我的手上。
!

コクッ…

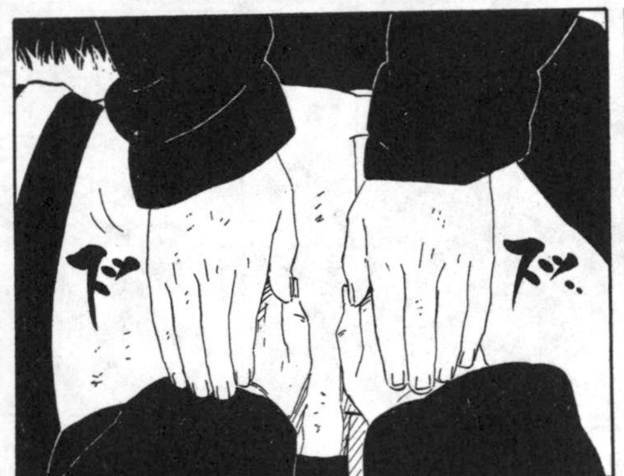

ズッ..
ドッ

……
鳴人…

……
ブウウウン

……

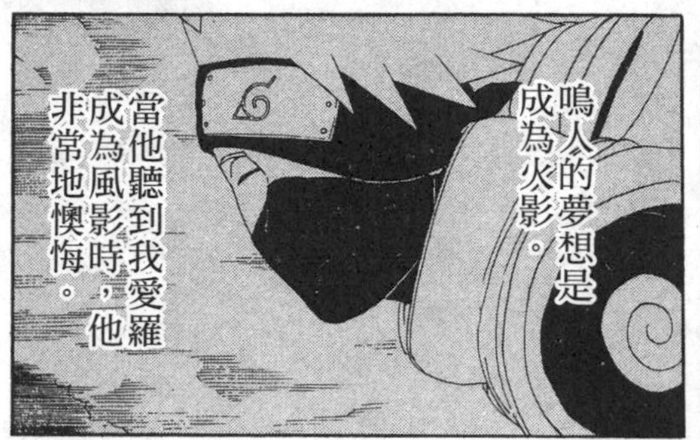
鳴人的夢想是成為火影。
當他聽到我愛羅成為風影時，他非常地懊悔。

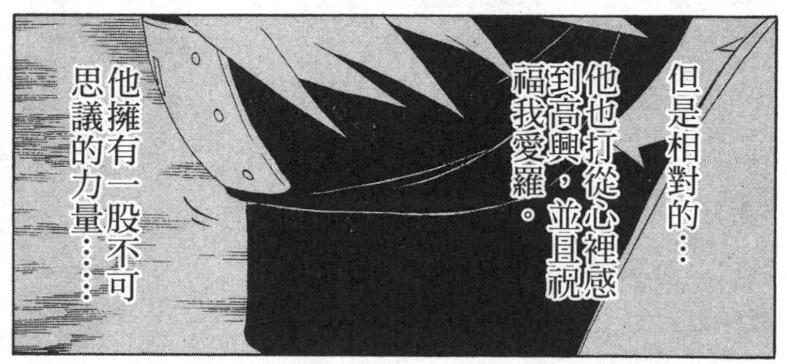
但是相對的……
他也打從心裡感到高興，並且祝福我愛羅。
他擁有一股不可思議的力量……

即使和對方說話的機會不多，
呼
他還是可以馬上和任何人變成朋友。
呼
呼

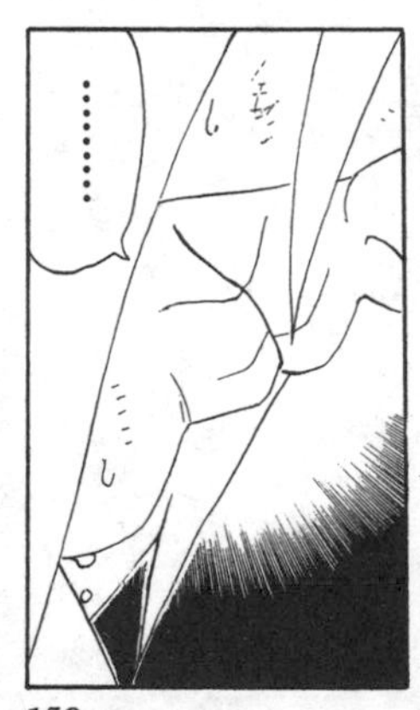
……

像你這樣的人能出現在由我們這些無趣的老人…
所創造出來的忍者世界裡，真的讓我覺得很高興……

…！

以前…
我所做的事都是錯誤…

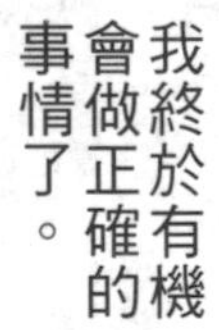
…但是…到了最後…
我終於有機會做正確的事情了。

砂忍村與…

木葉忍者村…

…………

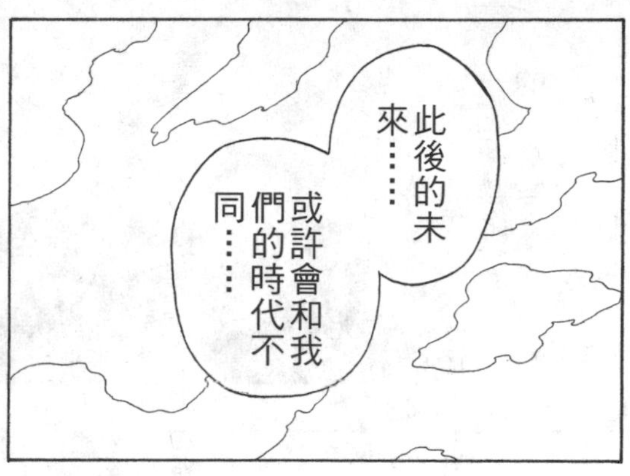
此後的未來……
或許會和我們的時代不同……

卡卡西曾經說過……
你擁有一股不可思議的力量……
你應該可以成為前所未見的火影，
並且用那股力量改變未來……

另外，小櫻……妳不用再救我這個快死的老太婆……
而是去救妳自己所珍惜的人……

妳和我很像……

沒有多少女性能同時擁有男子氣概……
妳應該能成為一個超越師父的女忍者……

……

鳴人……
算我這個老太婆求你……
!

你是唯一一個了解……
我愛羅傷痛的人…

我愛羅也知道你的傷痛……

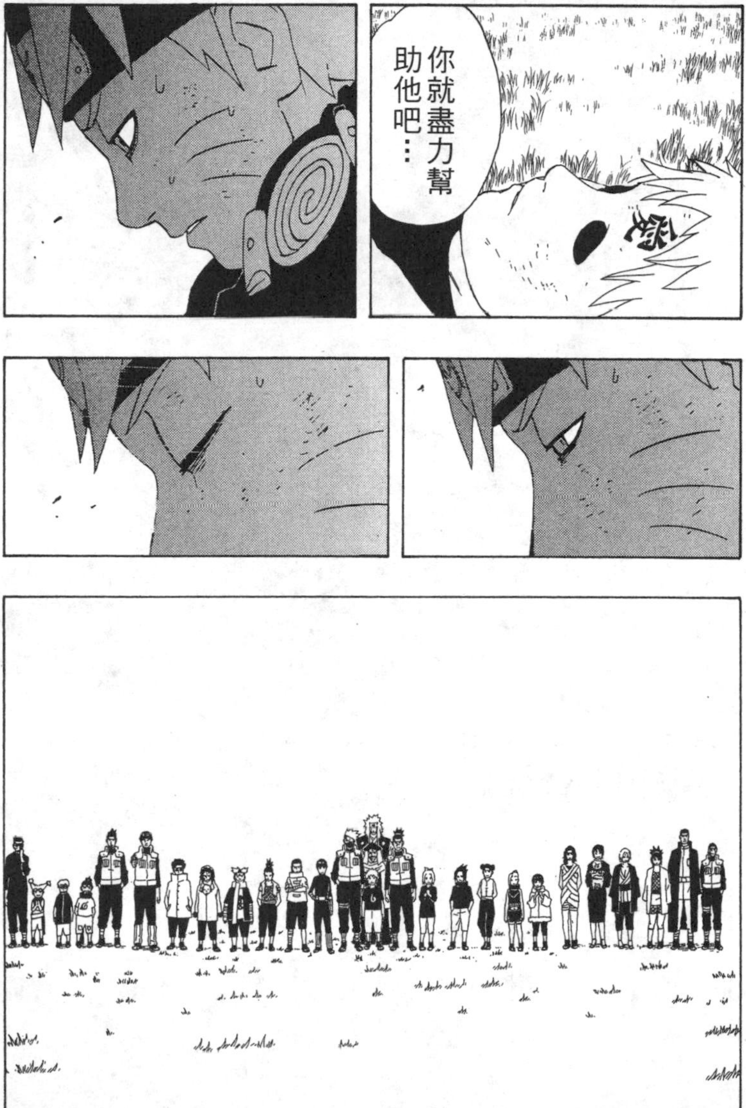

你就盡力幫助他吧……

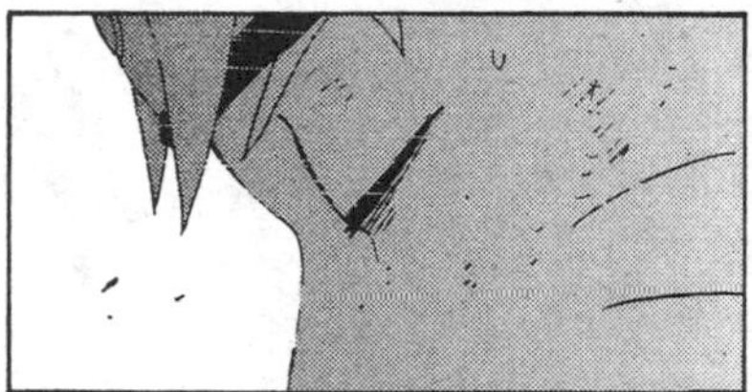

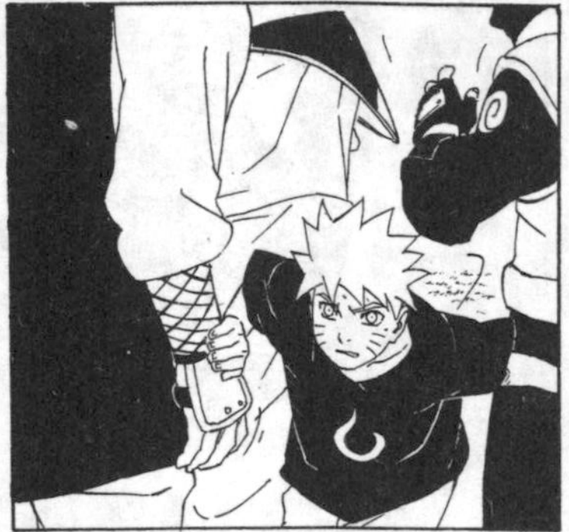

我愛羅！

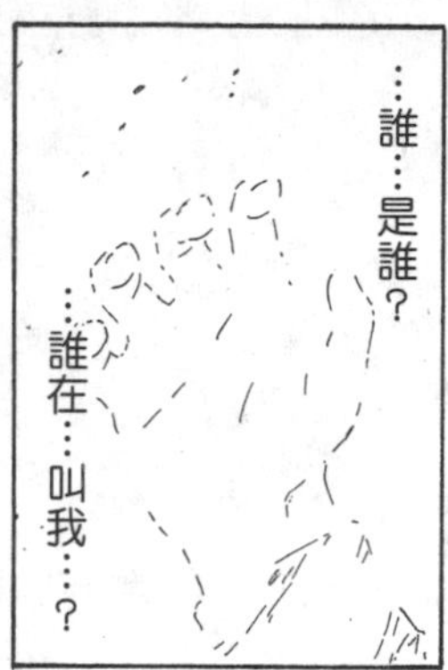
…誰…是誰？
…誰在…叫我…？

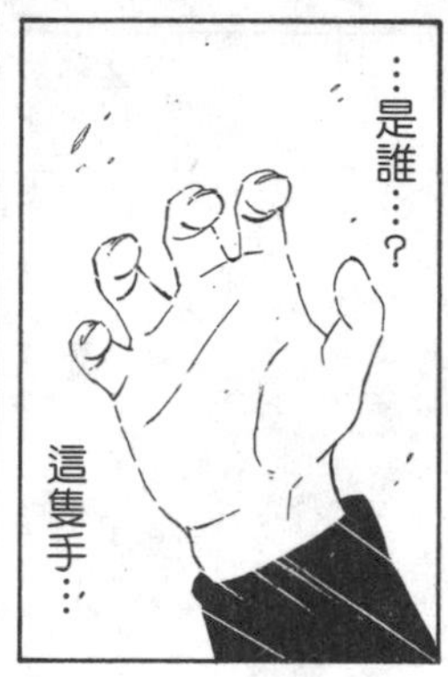
…是誰…？
這隻手…

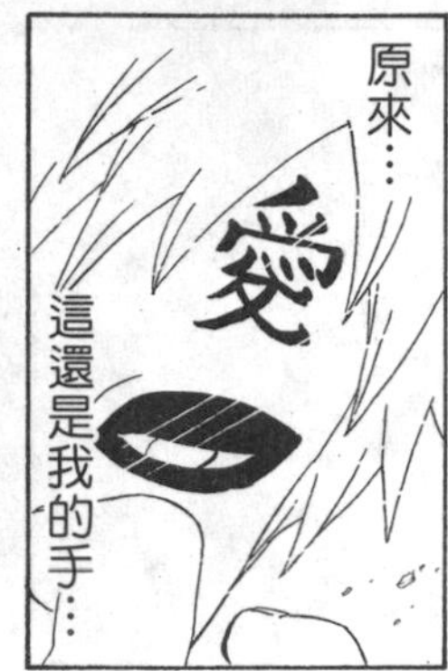
原來…
愛
這還是我的手…

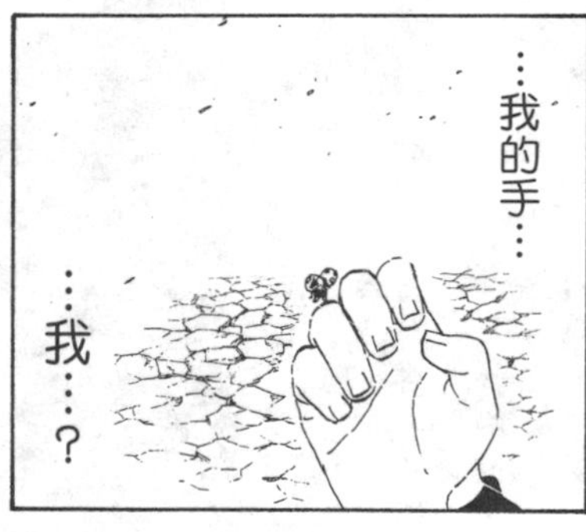
…我的手…
…我…？

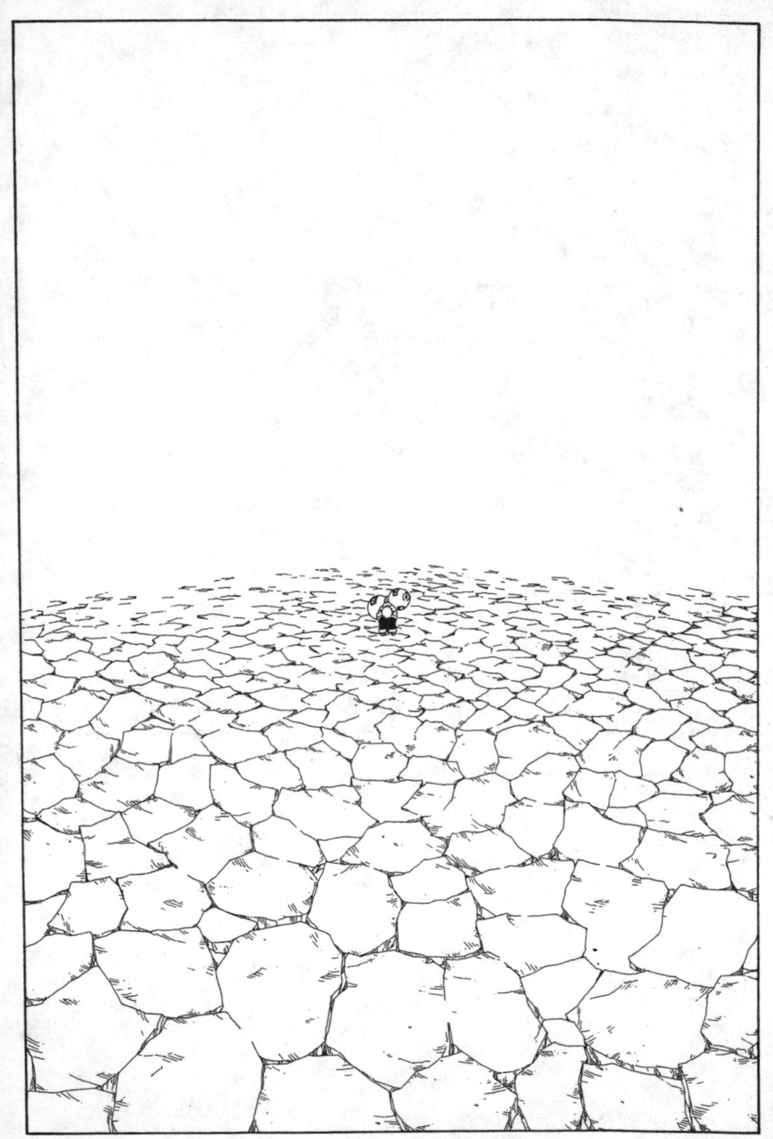

我……
……我到底是誰……？

我……

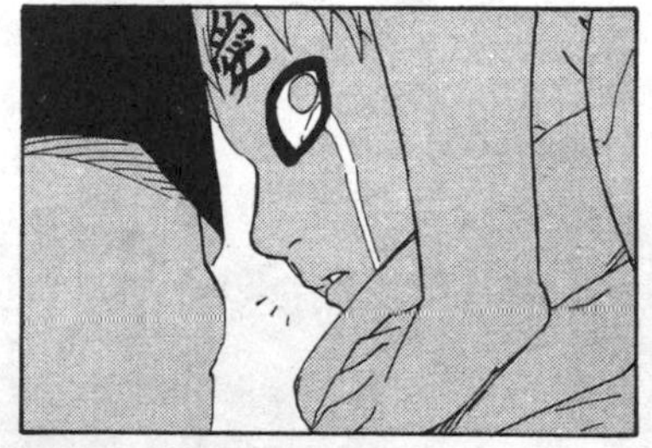

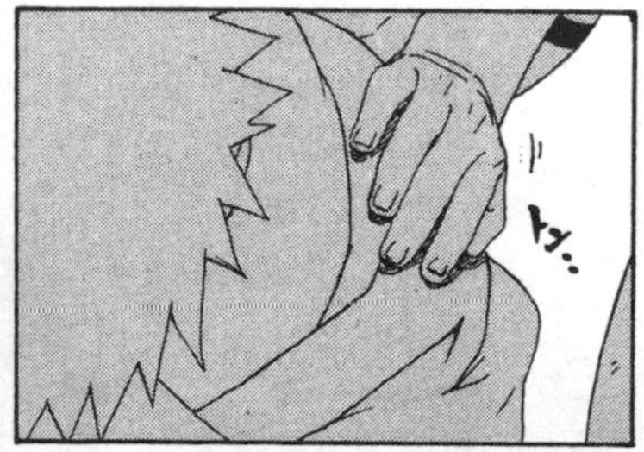

……我愛羅……

……

……鳴人……

這到底是……
愛
他們都是為了救你……
而跑到這裡來的……

〔對讀者來信的感謝〕

感謝各位一直來信給我。因為我一直都窩在房間裡畫漫畫的關係，所以我不知道讀者們看了我的漫畫之後，有著什麼樣的感想。因此各位讀者的來信，是我跟各位唯一的溝通橋樑，當我收到各位的來信時，也會覺得很高興。只要時間允許，我就會閱讀各位的來信。有時候，有些人會因為感到不安，而要求我證明我真的看過各位的來信…但請各位放心吧，我確實看過各位的來信。雖然我想回信給各位，但是因為來信的人實在是太多了，如果一一回信，那就沒辦法畫漫畫了。雖然這是情非得已的，但是我想透過畫有趣的漫畫，來當做回應各位的來信。因為如果漫畫不好看，我就不會收到各位讀者的來信了（笑）。為了感謝來信給我的各位，我想努力畫出能夠讓各位覺得好看的漫畫。

以後還請各位繼續支持火影忍者喔！

岸本斉史

280：被託付的想法!!

你居然給我們添
了這麼多麻煩！

……

唰
沒錯……
你這個弟弟
真的是給大
家添了不少
麻煩呢。
！

你們太囂張
了吧？
我愛羅可
他可是風
影啊，
說話小心
點——！

你們這些
小弟弟！

…我愛羅
…你覺得
怎麼樣？
靠近

嗚……

你最好別
急著站起
來…
因為你的身體
還是很僵硬。

嗚…嗚
…太好
了…
我還以為
風影大人
真的死了
……

我愛羅大人怎麼可能會這麼輕易就死掉！
ゴチ
好痛！

我愛羅大人不愛說話、冷酷、強悍、帥氣，而且還是個菁英……
對啊，而且還有點可愛…但他卻是個風影……
下次我一定會幫我愛羅大人抵擋危機的！
不！那個人是我！
推開
ダダッ

我都忘記我還是個下忍……

別這麼沮喪嘛…
女孩子都喜歡菁英，而且她們都喜歡冷酷但卻很弱的人。
ドン
！

我記得鹿丸也說過同樣的話……
嗯——……
ムワッ

他……

體會過和我一樣的痛苦，
而且告訴我生存之道是可以改變的。

鳴人，謝謝你。
！

……

你該道謝的人不是我，而是奶奶。
她用很厲害的醫療忍術救了我愛羅……

……千代奶奶用了那個術……

雖然她現在累得睡著了，

但只要回到村子裡，她就會……

不……

!?

那不是醫療忍術，而是轉生忍術…
千代奶奶已經死了。

…這…這是什麼意思啊？

那是藉由犧牲自己的性命……
讓死者復活的忍術…

……
……

……！

砂忍者村的傀儡部隊曾經……
想要研究並開發賦予傀儡生命的術……
領導進行開發的，就是千代奶奶。

……

雖然術的理論已經被開發出來了，
但是因為這個術要付出的代價實在太過龐大的關係，
因此在進行人體實驗前，就被指定為禁術。
所以那是被封印的忍術……

像你這樣的人能出現在由我們這些無趣的老年人創造出來的忍者世界裡，真的讓我覺得很高興……

過去……我所做的事情都是錯誤的……
……但是……到了最後……我終於有機會做正確的事情了

砂忍村與……木葉忍者村……
以後的未來，或許會和我們的時代不同……

卡卡西曾經說過，你擁有一股不可思議的力量……
你應該可以成為前所未見的火影……

並且用那股力量改變未來……

千代奶奶……

她就像是在裝死……
看來…
她的表情非常地安詳…

讓人覺得好像會馬上擺出笑容……

……
流下
……是啊……

……

鳴人……你果然是個不可思議的傢伙。
你擁有讓人改變的力量。

千代奶奶老是說村子的未來和她沒有關係…
她本來是個根本不會為了我愛羅做這種事的人……

千代奶奶把未來拖付給你和我愛羅……
她的死法就像個忍者，非常的偉大。

我現在…
非常了解她的想法了！

…是啊…
她就和第三代火影爺爺一樣…

沒錯…

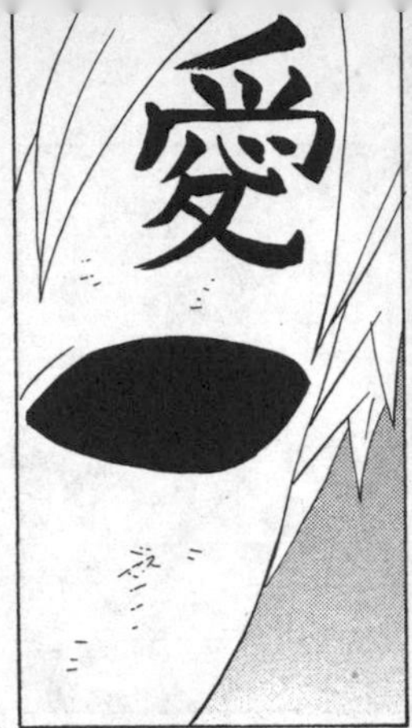
愛

愛

我愛羅大人！
ドッ
我沒事……

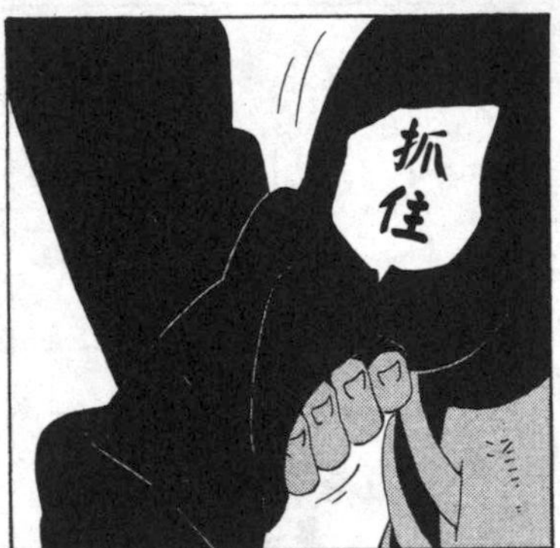
抓住

……

……！

各位…
讓我們替千代奶奶祈福吧。

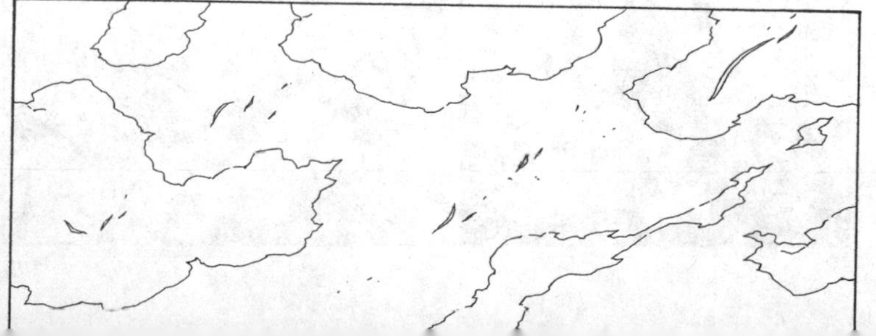

突起

噗呼！

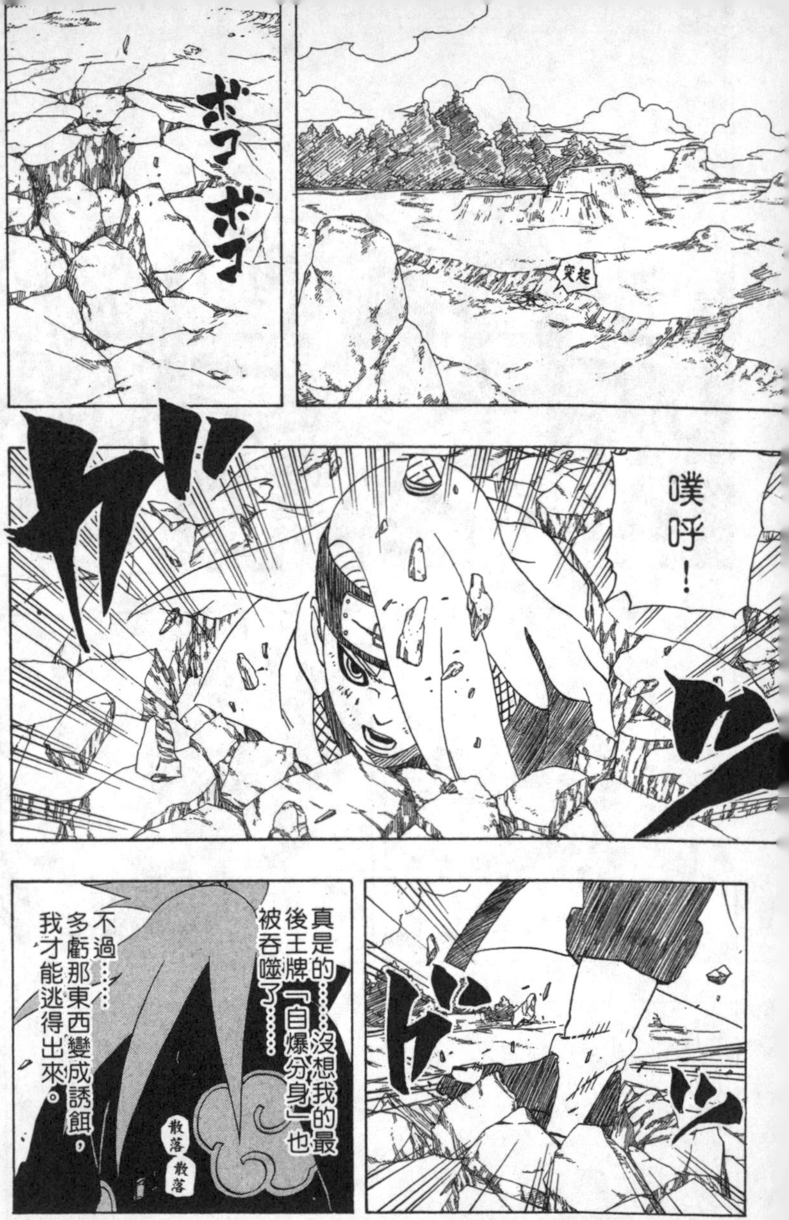

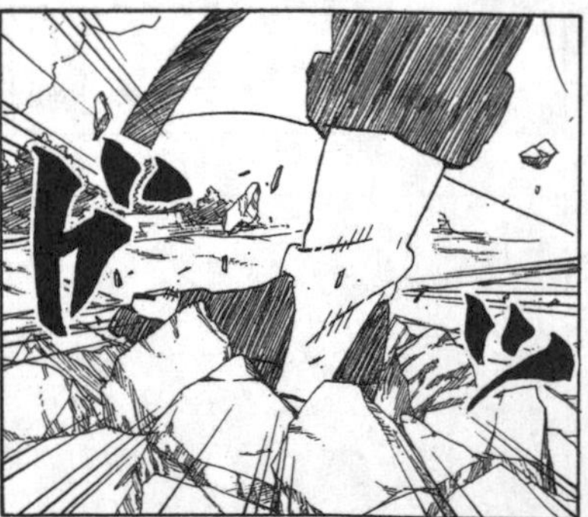

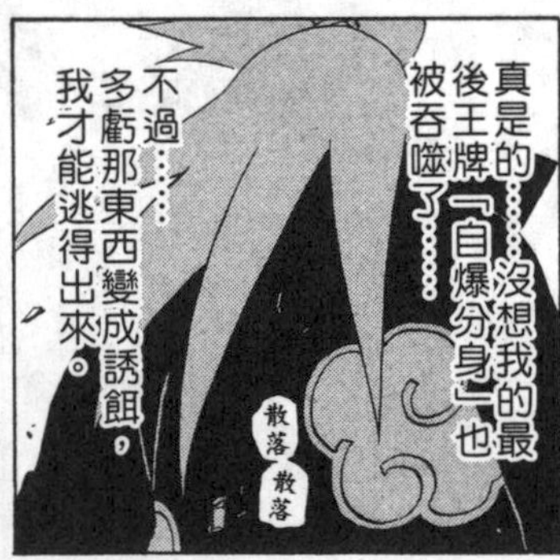

真是的……沒想我的最後王牌「自爆分身」也被吞噬了……
不過……多虧那東西變成誘餌，我才能逃得出來。
散落散落

……

嗯……
被帶走的是手肘那部份而已吧？
我必須去把失去的右手和戒指找回來才行……嗯……

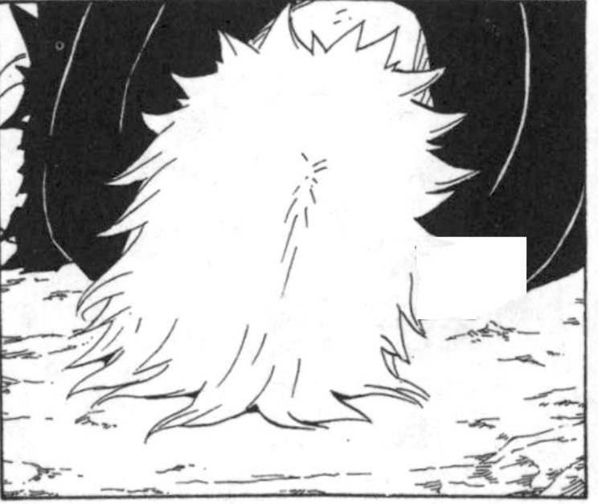

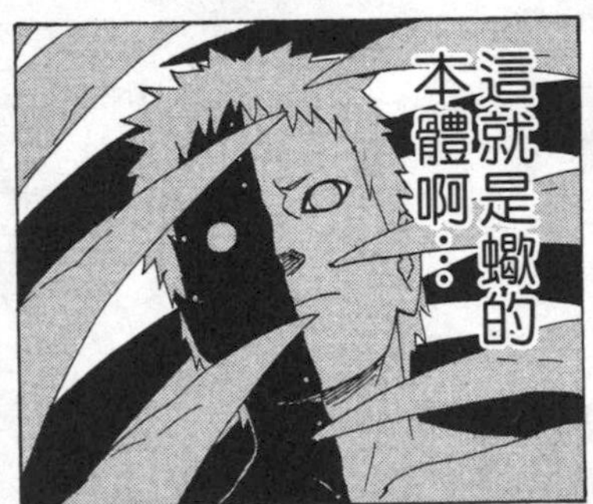
這就是蠍的本體啊……

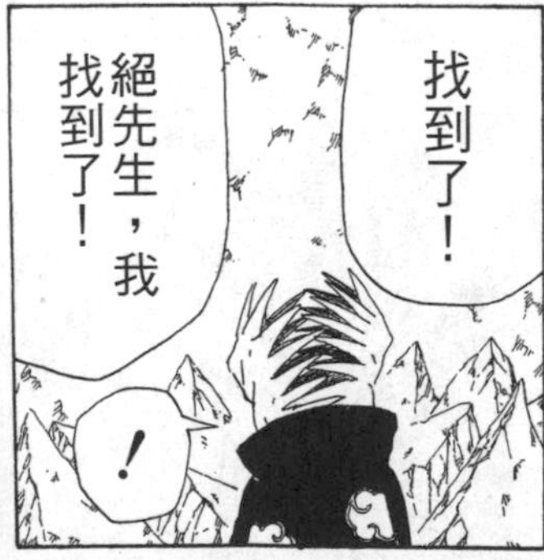
找到了！
絕先生，我找到了！
！

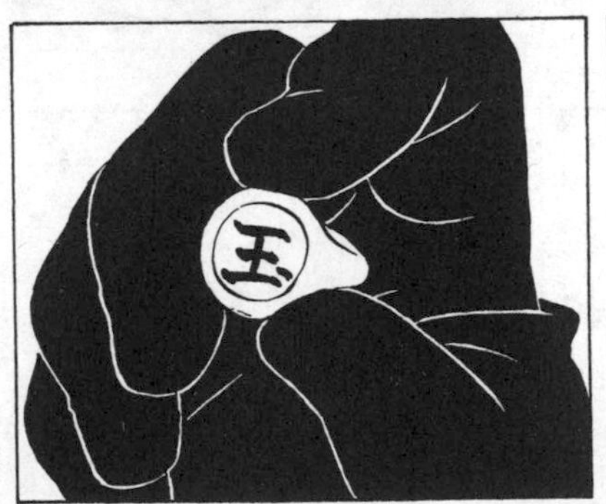

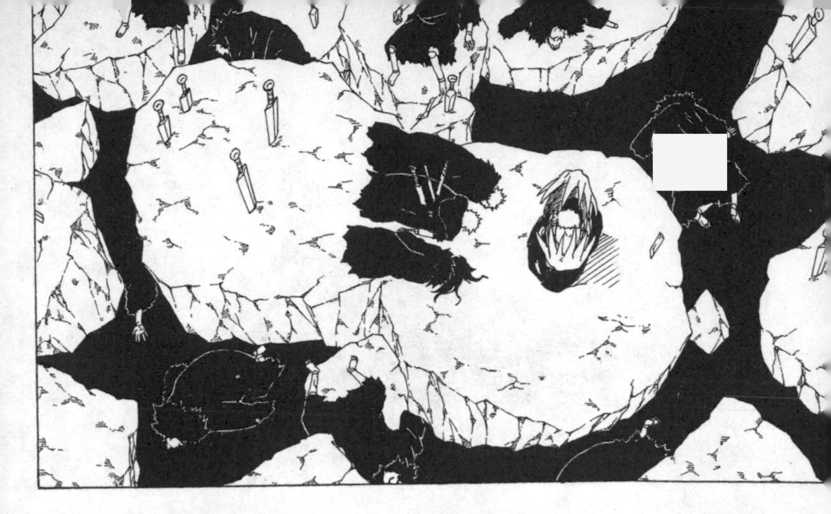

31 被託付的想法!!(完)下集待續

日本集英社正式授權中文版
東立出版社有限公司
TONG LI COMICS
光速蒙面俠
EYESHIELD 21
強隊們陸續敗給突然出現的黑馬…
泥門惡魔蝙蝠隊的命運到底會是如何？
能夠成為前八強的到底是哪些球隊？
謎底也即將揭曉！
Riichiro Inagaki
原作 稻垣理一郎
Yusuke Murata
漫畫 村田雄介
①～⑭
36K85元全省好評熱賣中！

TONG LI COMICS
日本集英社正式授權中文版
東立出版社有限公司
Mr. FULLSWING
野球長打王
鈴木信也
目標只有一個！
前進甲子園！
十二支高中棒球社以甲子園冠軍為目標而努力，為了增強實力，經歷了各種奇特的特訓；地區預賽開始後，碰上的比賽對象更是一隊比一隊有特色…
①～⑳ 36K85元全省好評熱賣中

為了打倒DIO，JOJO等人踏上了前往埃及的旅途，
而DIO派出的替身使者也一直出現阻礙著JOJO一行人，
到底最後他們會不會打倒DIO呢？

充滿危險、緊張、刺激的冒險之旅！

JOJO的奇妙冒險

①～㊿

荒木飛呂彥

36K85元
陸續出版熱賣中

JC08231 C0P192

火影忍者㉛

原名：NARUTO—ナルト— ㉛

作　　者　岸本斉史
譯　　者　方郁仁
執行編輯　簡孟羽
發 行 人　范萬楠
發 行 所　東立出版社有限公司
東立網址　http://www.tongli.com.tw
台北市承德路二段81號10樓
☎(02)25587277　FAX(02)25587296
劃撥帳號　1085042-7（東立出版社有限公司）
劃撥專線　(02)28100720
印　　刷　嘉良印刷實業股份有限公司
裝　　訂　台興印刷裝訂股份有限公司
法律顧問　曾森雄律師　曲麗華律師
2006年 2月20日第 1 刷發行

日本集英社正式授權台灣中文版

ISBN 986-11-7860-0（價格以封面上標示為準）
TAIWAN CHINESE EDITION FOR DISTRIBUTION AND SALE IN TAIWAN ONLY
台灣中文版・僅限台澎金馬地區發行販售